Podkayne
fille de Mars

Editions J'ai Lu

ROBERT A. HEINLEIN | ŒUVRES

ROBERT A. HEINLEIN

Podkayne
fille de Mars

Traduit de l'américain par
Michel DEUTSCH

Ce roman a paru sous le titre original :
PODKAYNE OF MARS

Pour Gale et Astrid

1

J'ai toujours eu envie d'aller sur la Terre. Pas pour y vivre, naturellement — juste pour voir. Tout le monde sait que Terra est un endroit merveilleux pour faire du tourisme mais pas pour y vivre. Elle ne convient pas vraiment à l'habitat humain.

Pour ma part, je ne suis nullement convaincue que la race humaine soit originaire de la Terre. Parce que, n'est-ce pas? quel crédit peut-on accorder à une preuve constituée par quelques kilos de vieux ossements et aux opinions d'anthropologues dont les thèses sont généralement contradictoires lorsque ce que l'on est censé avaler n'a aucun rapport avec le bon sens le plus élémentaire?

Il suffit de réfléchir! Il est évident que l'accélération à la surface de Terra est trop forte pour l'organisme humain. Il est de notoriété publique que cela détermine des affections telles que les pieds plats, des hernies et des troubles cardiaques. L'incidence du rayonnement solaire vous transformerait en cadavre un être humain non protégé en un laps de temps incroyablement bref. Et connaissez-vous d'autres organismes qui, pour survivre, doivent être artificiellement protégés de leur environnement prétendu naturel? Quant à l'écologie terrestre...

Enfin, n'insistons pas. Nous autres, humains, n'avons pas pu, purement et simplement, naître_sur Terra. Sur Mars non plus, je l'admets, encore que Mars soit le monde qui se rapproche le plus de l'idéal, compte tenu de l'état actuel du système solaire. Il n'est pas exclu que notre première patrie ait été la « Planète disparue », encore que je considère Mars comme ma « patrie » et que, si loin que j'aille, plus tard, j'y reviendrai toujours. Et j'ai l'intention de voyager loin. Très, très loin.

Mais je veux visiter la Terre pour commencer, pas seulement pour voir comment huit milliards de gens se débrouillent pour vivre en se marchant sur les pieds (moins de la moitié de la surface continentale de Terra est, à l'extrême rigueur, habitable) mais surtout pour voir les océans... à distance respectueuse. Les océans sont pour moi quelque chose de fantastique et d'inconcevable. De plus, la notion même d'océan m'épouvante. Cette inimaginable quantité d'eau illimitée... Et si profonde que, si l'on tombe dedans, on en a par-dessus la tête. Incroyable!

Or, on va y aller!

Il serait peut-être bon que je nous présente. Nous, c'est-à-dire la famille Fries. D'abord, moi : Podkayne Fries — Poddy pour les amis — et autant commencer par nouer des rapports amicaux. Je suis une jeune adolescente : j'ai huit ans et quelques mois, « juste la bonne taille pour passer à la poêle mais il s'en faut d'un poil pour passer l'anneau » comme dit mon oncle Tom, définition qui ne manque pas d'exactitude puisqu'une citoyenne de Mars peut contracter mariage de façon pleine et entière et être émancipée de l'obligation de tutelle lors de son neuvième anniversaire. En outre, je fais un mètre cinquante-sept pieds nus pour quarante-neuf kilos. « Cinq pieds deux pouces et les yeux bleus », selon la formule de papa. Mais papa est un historien et un romantique. Moi, je ne suis pas romantique et pas question d'envisager un mariage même limité quand j'aurai neuf ans. J'ai d'autres projets.

Non que je sois opposée au mariage lorsque le moment en sera venu, ou que je craigne d'avoir de la difficulté à mettre la main sur le garçon de mon choix. En rédigeant ces Mémoires, je sacrifierai la modestie à la franchise parce qu'ils ne seront publiés que lorsque je serai vieille et célèbre et que, d'ici là, j'aurai sûrement le temps de les réviser. En attendant, je prends la précaution de transcrire le texte anglais en vieux martien, combinaison que, j'en suis sûre, papa décrypterait sans peine. Mais il ne ferait rien de tel sans y avoir été invité. Je l'adore et ce n'est pas le genre à m'espionner. Clark, mon frère, n'hésiterait pas à y fourrer son nez, mais il considère l'anglais comme une langue morte et, n'importe comment, jamais l'idée ne lui viendrait de se casser la tête sur le vieux martien.

Peut-être connaissez-vous un livre intitulé *Onze ans — la Crise d'Adaptation chez le Pré-Adolescent* ? Je l'ai lu dans l'espoir que cet ouvrage m'aiderait à venir à bout de Clark. Il a juste six ans mais les « Onze ans » auxquels se réfère le titre correspondent à des années terriennes, car il a été écrit sur Terra. Appliquez le facteur de conversion (1,8808) pour obtenir l'âge réel et vous verrez que mon frère a exactement onze ans, style terrestre, étant donné que les années terriennes sont un peu riquiqui.

Cette lecture ne m'a pas apporté grand-chose. Le livre parlait de « faciliter l'insertion dans le groupe social » mais rien ne permet jusqu'à présent de penser que Clark ait la moindre intention de s'intégrer à la race humaine. Il y a, au contraire, de fortes chances pour qu'il invente un truc qui fera sauter l'univers rien que pour le plaisir d'entendre le badaboum. Comme il est la plupart du temps sous ma responsabilité et que son coefficient intellectuel est de 160 alors que le mien n'est que de 145, vous comprendrez aisément que j'ai besoin de tous les avantages que peuvent me procurer mon âge et ma maturité d'aînée. Pour l'heure, ma règle d'or est la suivante : ouvrir l'œil et le bon — ne jamais le laisser avoir barre sur moi.

Revenons-en à votre servante. Généalogiquement, je suis une métisse coloniale, mais mon sang suédois domine et son saupoudrage polynésien et asiatique ne fait qu'ajouter à mon physique un léger piment exotique qui n'a rien de déplaisant. J'ai les jambes longues, compte tenu de mes mensurations, quarante-huit centimètres de tour de taille et quatre-vingt-dix de tour de poitrine. Et je vous garantis que ces quatre-vingt-dix centimètres ne sont pas limités à ma seule cage thoracique, même si les descendants des vieilles familles coloniales ont tous un développement pulmonaire hypertrophié. Une part de ces quatre-vingt-dix centimètres est imputable à la croissance de mes attributs sexuels secondaires. J'ajouterai que mes cheveux sont blond clair et ondulés. Et que je suis jolie. Pas belle — Praxitèle ne se serait pas retourné sur moi — mais la beauté véritable épouvante les hommes ou les rend difficiles à manier alors que si l'on sait correctement l'utiliser, la joliesse est un atout.

Il y a encore deux ans, je regrettais de ne pas être un garçon, compte tenu de mes ambitions. Et puis, j'ai fini par comprendre que c'était idiot. Autant souhaiter avoir des ailes. Comme le dit maman : « Il faut faire avec ce qu'on a. » Et j'ai constaté que le matériau dont je disposais était tout à fait adéquat. En fait, j'ai découvert que j'étais satisfaite d'être une fille. Mon équilibre hormonal est O.K., je suis parfaitement adaptée au monde extérieur et vice versa, je suis suffisamment intelligente pour ne pas montrer sans nécessité que je le suis; j'ai la lèvre supérieure étirée et quand je plisse mon nez en trompette d'un air déconcerté, les hommes ne sont en général que trop heureux de venir à mon secours, en particulier ceux qui ont le double de mon âge. Compter sur ses doigts n'est pas le seul moyen qui existe pour calculer une courbe balistique.

Tel est le portrait de Poddy Fries, libre citoyenne de Mars, future pilote, qui sera un jour à la tête de missions d'explorations en espace profond.

Ma mère est deux fois plus belle que moi et plus grande que je ne le serai jamais. Elle ressemble à une Walkyrie prête à s'élancer au grand galop en plein ciel. Elle possède un diplôme (valable dans tout le système) d'ingénieur en chef de constructions lourdes en surface ou en chute libre et elle a le droit de porter la médaille Hoover avec étoiles. En outre, elle est commandant de l'ordre de Christiana, dignité qui lui a été conférée après qu'elle eut dirigé la reconstruction de Deïmos et de Phobos. Mais n'allez pas croire qu'elle fasse partie de la catégorie des ingénieurs mal embouchés. Elle a un sens social développé, elle peut se montrer chaleureuse et charmante ou devenir à volonté glaciale au point d'être intimidante, elle possède une multitude de diplômes *honoris causa* et elle publie de petits bijoux de vulgarisation tels que « Critères architecturaux compte tenu des effets des radiations sur les forces de liaison des structures surcontraintes en sandwich ».

C'est justement parce que Mère doit souvent s'absenter pour des raisons professionnelles que je suis de temps en temps, et à mon corps défendant, la gardienne de mon jeune frère. Toutefois, je pense que c'est là un bon entraînement. En effet, comment pourrais-je espérer assumer le commandement de mon propre bâtiment si je suis incapable de mater un petit sauvage de six ans? Maman affirme qu'un chef qui est obligé de se servir d'une clé à molette pour se faire obéir n'est pas à la hauteur. Aussi je m'efforce de dompter notre jeune nihiliste sans recourir à la force. En tout état de cause, user de la force à l'encontre de Clark serait une entreprise hautement aléatoire : il pèse autant que moi et, quand il se bat, tous les coups sont permis.

C'est au travail que Mère a fait sur Deïmos que nous devons d'être là, Clark et moi. Elle était résolue à respecter les délais de livraison et papa, en congé de l'Université d'Arès avec, en poche, une bourse d'étude, était farouchement résolu à récupérer les moindres bribes de l'antique artisanat martien, même si cela devait retarder les travaux. Il en résulta des querelles intestines d'une telle âpreté que cela finit par un mariage et que maman fut prise quelque temps par ses bébés.

Maman et papa, c'est la femme de journée et le veilleur de nuit. Lui s'intéresse à ce qui s'est déjà passé, elle uniquement à ce qui se passera plus tard, surtout si elle y est pour quelque chose. Officiellement, mon père a une chaire d'histoire terrestre mais sa véritable passion, c'est l'histoire martienne et sa prédilection va aux événements qui ont eu lieu dans un passé vieux de quelque cinquante millions d'années. Mais n'allez surtout pas croire que Père est un prof pantouflard menant une existence exclusivement consacrée à la contemplation et à l'étude. Il n'avait pas encore l'âge que j'ai aujourd'hui quand, par une nuit glaciale, il perdit un bras lors de l'attaque lancée contre les bureaux de la Compagnie pendant la Révolution. Et il est encore capable de tirer vite et de faire mouche avec la seule main qui lui reste.

Le dernier membre de la famille est le grand-oncle Tom, le frère du père de papa. C'est un parasite. Tout du moins, il le prétend. Certes, il ne travaille guère, mais il était déjà vieux avant ma naissance. Comme papa, c'est un vétéran de la Révolution. Il est ex-commandant en chef de la Légion martienne et sénateur de la République mais il ne donne pas l'impression de s'occuper beaucoup de politique, qu'il s'agisse des intérêts de la Légion ou de ceux du public. Il préfère jouer aux cartes au club des Elans en compagnie d'autres vestiges du passé. A dire vrai, oncle Tom est plus proche de moi que tout le reste de la famille. Il n'est ni aussi sérieux ni aussi occupé que mes parents et il prend toujours le temps de bavarder avec moi. En outre, il subsiste en lui une trace du péché originel qui lui fait prêter une oreille attentive à mes problèmes personnels. D'après lui, je possède la même, mais en plus marqué. Sur ce point, je préfère réserver mon opinion.

Vous connaissez maintenant toute la famille. Et nous partons pour la Terre. Youpi! J'ai laissé de côté les trois nourrissons. A présent, ils comptent pour du beurre et ils sont faciles à oublier. Quand papa et maman se sont mariés, le conseil du PEG — Population, Ecologie & Génétique — leur a fixé un quota de cinq rejetons et ils auraient eu droit à sept s'ils l'avait demandé car, vous l'avez peut-être deviné, mes parents sont des citoyens d'une catégorie assez élitaire, même pour des coloniaux planétaires issus de lignées rigoureusement sélectionnées et contrôlées. Mais Mère déclara au conseil qu'elle n'avait pas assez de temps, que cinq étaient largement suffisants et elle nous mit au monde dans des délais aussi brefs que possible. Elle se morfondait dans l'emploi provisoire qu'elle occupait au bureau d'ingénierie planétaire. Elle se hâta de mettre au fur et à mesure ses bébés en surgélation, sauf moi qui était née la première. Clark passa deux ans en entropie constante. Autrement, il aurait presque mon âge (le temps de surgel ne compte pas, évidemment, et son anniversaire officiel est calculé à partir du jour où il a été décanté). Je me rappelle comme j'étais jalouse. Mère venait de rentrer après avoir reconditionné Junon et je trouvais inadmissible qu'elle se mette aussitôt à élever un bébé.

Oncle Tom me guérit de ce sentiment à grand renfort de câlins et je ne fus plus jalouse de Clark. Je demeurai seulement méfiante à son égard.

Nous avons donc mis Gamma, Delta et Epsilon en dépôt à la crèche souterraine de Marsopolis. On débouteillera et on baptisera au moins l'un des trois lors de notre retour de la Terre. L'idée de ma mère est de revivifier Gamma et Epsilon en même temps et de les élever en jumelles, puis de mettre sur orbite Delta, qui est un garçon, dès que les filles seront un peu dressées. Aux yeux de papa, ce serait un déni de justice puisque Delta a le droit d'être plus âgé qu'Epsilon par priorité naturelle en raison de sa date de naissance. Mère rétorque que c'est simplement là une manifestation du culte de la tradition et qu'elle souhaite que papa se résolve à laisser son respect du passé à la faculté quand il rentre à la maison, le soir.

Maman, dit papa, n'est pas sentimentale. J'espère bien que non, répond maman, en tout cas lorsqu'il s'agit de questions ressortissant à l'analyse rationnelle. Soyons donc rationnels, réplique papa : deux jumelles plus âgées démoliront le moral d'un garçon ou le pourriront à force de le gâter.

Argument antiscientifique et spécieux! s'exclame maman. La vérité — c'est papa qui parle — est que maman désire se débarrasser de deux corvées d'un seul coup. Absolument! approuve véhémentement l'intéressée. D'ailleurs, pourquoi les principes éprouvés de planification de la production en matière d'ingénierie ne s'appliqueraient-ils pas à l'économie domestique?

Là, papa reste coi. Au fond, il faut bien reconnaître que deux petites filles habillées exactement de la même façon, ce serait charmant.

— Pourquoi ne pas les décanter du tout? me murmure Clark à l'oreille. Il n'y aurait qu'à s'introduire une nuit dans la crèche et ouvrir les valves. On dirait que c'est un accident.

Je lui conseille de se rincer la bouche à l'acide prussique et de faire en sorte que papa ne l'entende pas parler comme ça s'il ne veut pas recevoir une bonne correction. Papa a beau être historien, c'est un partisan fanatique des théories les plus récentes et les plus modernes de la psychologie enfantine et il les applique en bloquant le cortex par des associations dolorifères quand il veut vraiment que sa progéniture n'oublie pas la leçon. Il a une maxime élégante : « Qui aime bien châtie bien. »

Pour ma part, je bloque sans me faire prier; j'ai appris très tôt à prévoir et à éviter les incidents susceptibles de pousser papa à mettre ses théories en pratique sans y aller de main morte. Mais, dans le cas de Clark, il est presque indispensable de manier la trique, ne serait-ce que pour retenir son attention qui a tendance à se disperser.

Ainsi, il est parfaitement clair, à présent, que

nous allons avoir deux petites jumelles. Mais, et je suis heureuse de le dire, ce casse-tête ne me concerne pas. Clark suffit largement à traumatiser une jeune fille adolescente. Quand les jumelles constitueront un problème quotidien, il y aura belle lurette, j'espère, que je ne serai plus là. Et je serai très loin!

INTERLUDE

Salut, Pod.

Comme ça, tu me crois incapable de déchiffrer tes gribouillages?

Tu as encore beaucoup à apprendre sur mon compte! Poddy — oh! excuse-moi! je voulais dire « capitaine » Podkayne Fries, illustre Exploratrice de l'Espace et Meneuse d'Hommes —, mon cher capitaine Poddy, tu ne liras sans doute jamais ces lignes car il ne te viendra pas à l'idée que je puisse percer ton « code » et encore moins placer mes commentaires dans les grandes marges que tu laisses.

A titre documentaire, ma sœur adorée, je lis aussi facilement le vieil anglais que le système ortho. Ce n'est pas si difficile que ça, l'anglais, et je l'ai appris lorsque je me suis aperçu que des tas de livres qui m'intéressaient n'avaient jamais été traduits. Mais il n'est pas payant de tout raconter sinon il y a toujours quelqu'un qui s'amène pour vous dire d'arrêter de faire ce que vous êtes en train de faire. Votre sœur aînée, en général.

Mais baptiser « code » une vulgaire grille de substitution, c'est quand même y aller un peu fort! Si tu avais été effectivement capable d'écrire en vieux martien, cela m'aurait pris beaucoup plus longtemps. Seulement, tu ne sais pas. Papa lui-même a les méninges qui deviennent incandescentes quand il le fait et il connaît probablement mieux le vieux martien que n'importe quel autre habitant du système solaire.

Toi, tu ne perceras pas mon code, pour la bonne raison que je n'en ai pas.

Essaye donc d'examiner cette page sous lumière ultraviolette. Avec une lampe à bronzer, par exemple.

2

Oh! Imprécatifs! Imprononçables ! Crottes du nez et ongles en deuil! Crachouillis et crachouillas! Mollards! ON NE PART PLUS!

Sur le moment, j'ai cru que c'était encore une de ces machinations charlatanesques, un de ces tours de passe-passe maléfiques dont mon frère Clark est coutumier. Mais, heureusement (c'est la seule chose heureuse dans toute cette histoire catastrophique), je n'ai pas tardé à me rendre compte qu'il ne lui était pas possible d'être responsable de ce désastre, quelles que soient les tortuosités diaboliques qui bouillonnent dans son *id*. A moins d'avoir inventé et construit en secret une machine à voyager dans le temps, ce qu'il ferait s'il le pouvait, je n'en doute pas — et je ne jurerais pas qu'il en soit incapable. C'est que je me rappelle le jour où il a modifié le robot de distribution pour que celui-ci lui fournisse nuitamment des casse-croûte et les débite sur mon numéro de compte (pour autant qu'on ait jamais réussi à prouver quelque chose) sans toucher au plomb de la société scellant le boîtier de commande.

Personne ne saura jamais de quelle façon il s'y est pris, bien que la société propriétaire lui ait offert l'amnistie pleine et entière, plus une prime si seulement il voulait bien expliquer comment il s'était débrouillé pour trafiquer le robot sans briser le sceau inexpugnable. Ils ont eu beau faire et beau dire, Clark s'est contenté de les regarder d'un air incompréhensif sans se départir de son mutisme. Aussi ne restait-il plus en fait d'éléments de preuve que des présomptions, à savoir que pour quiconque nous connaissant bien (nommément, papa et maman), il était évident que je n'aurais jamais commandé pour mon usage personnel de la glace à la pistache nappée de sauce hollandaise ni... non, je ne veux pas continuer : ça me donne mal au cœur. Alors que, en revanche, nul n'ignore que Clark est prêt à manger tout ce qui ne le mangera pas le premier.

Cette démonstration, pourtant aveuglante, n'aurait jamais convaincu le technicien de la société si les enregistrements de celle-ci n'avaient surabondamment prouvé que lors de deux de ces répugnants festins, je me trouvais chez des amis à Syrtis Major, à mille kilomètres de chez nous. Tout cela pour avertir simplement toutes les jeunes filles et les mettre en garde : n'ayez jamais pour petit frère un Fou de Génie! Jetez plutôt votre dévolu sur un lourdaud abruti et un tantinet infranormal qui passera gentiment son temps devant les étranges lucarnes à regarder bouche bée des westerns classiques sans jamais se demander ce qui peut bien provoquer ces jolies images.

Mais je me suis écartée de mon tragique récit.

Nous n'aurons pas de jumelles.

Nous avons déjà des triplés.

Gamma, Delta et Epsilon qui, pendant ma prime enfance, n'avaient jamais été que des sujets de conversation, étaient maintenant Grace, Duncan et Elspeth. En chair et en os, hélas — à moins que papa n'ait changé d'avis avant l'ultime déclaration d'état civil. Mais qu'importe le nom? Ils sont d'ores et déjà à la maison dans une nursery hermétique, trois malheureux petits humains inachevés dont la couleur est du même rose que celui des vers des canaux, sans traits de physionomie dignes d'être notés. Leurs membres se tortillent sans rime ni raison, leurs yeux ne suivent pas ce qui bouge et une légère odeur fadasse de lait aigre imprègne toutes les pièces, même après qu'on les a baignés. Des bruits affolants s'échappent d'une de leurs extrémités, d'où hétérodynisation réciproque, et ce qui se passe aux autres extrémités est encore plus affolant. (Je ne les ai encore jamais trouvés tous les trois secs en même temps.)

Et pourtant, ils sont absolument adorables, ces petits machins-là. S'ils n'étaient pas la cause directe de mon actuelle tragédie, je pourrais facilement m'attacher à eux. Je suis sûre que Duncan commence déjà à me reconnaître.

Mais si je me fais déjà à eux, il n'y a qu'une seule façon de décrire l'attitude de Mère : elle

18

est ataviquement maternelle. Des piles de publications professionnelles qu'elle n'a pas ouvertes s'entassent, elle a un doux regard de madone et je la trouve un peu plus petite et un peu plus ronde que la semaine dernière.

Première conséquence : pas question qu'elle envisage de se rendre sur la Terre, avec ou sans les triplés.

Deuxième conséquence : Papa ne partira pas si elle ne part pas — il a vertement rabroué Clark qui avait simplement suggéré cette éventualité.

Troisième conséquence : puisqu'ils ne partent pas, nous ne pouvons pas partir. Clark et moi, je veux dire. Il est théoriquement possible que je sois autorisée à voyager seule (puisque papa reconnaît que je suis maintenant une « jeune adulte » du point de vue de la maturité et du jugement, bien que je ne fêterai mon neuvième anniversaire que dans quelques mois) mais c'est là une question formelle et dépourvue de contenu dans la mesure où l'on ne me considère pas comme suffisamment âgée pour assumer la pleine responsabilité de mon frère alors que nous serions éloignés d'un certain nombre de millions de kilomètres de nos parents (d'ailleurs, je ne suis pas sûre que, dans ces conditions, j'accepterais une pareille responsabilité sans être armée). Et papa est envers nous d'une loyauté si consternante que l'idée ne lui viendrait même pas de discuter de l'éventualité d'autoriser l'un de nous deux à partir tout seul alors qu'on avait promis le voyage à tous les deux.

La loyauté est une vertu sans prix chez un père. Mais, pour l'heure, je ne protesterais nullement si l'on m'accordait un passe-droit par favoritisme.

Mais ce qui précède explique pourquoi j'ai la certitude que Clark n'a pas une machine temporelle cachée dans son placard. Ce contretemps incroyable, ce télescopage d'accrocs né du rêve d'un idiot, lui portent autant tort qu'à moi.

Comment tout cela est-il arrivé? Je vais vous l'expliquer. Nous n'imaginions guère quand la question avait été soulevée, il y a un mois, de partir en famille faire du tourisme sur la Terre que le désastre était déjà consommé, qu'il attendait simplement le moment de se révéler à nous dans toute sa hideur. Voici les faits : la crèche de Marsopolis compte des milliers de nouveaunés gros comme des billes que l'on maintient en toute sécurité à une température proche du zéro absolu jusqu'à ce que leurs parents soient prêts à les récupérer. On affirme, et je le crois volontiers, qu'une bombe nucléaire en tir direct ne ferait aucun mal aux bébés en dépôt. Un millénaire plus tard, les sauveteurs qui creuseraient le sol constateraient que les machines automatiques et autoréparatrices n'auraient pas permis à la température des bacs de varier d'un centième de degré.

En conséquence, les Hommes de Mars (pas les « Martiens », s'il vous plaît : les Martiens sont une race non humaine presque éteinte aujourd'hui), les Hommes de Mars se marient tôt, ont rapidement leur contingent de bébés et ils les élèvent plus tard quand ils ont assez d'argent et de temps. Cela résout la contradiction, si patente depuis la révolution industrielle terrienne, entre l'âge biologique optimal pour avoir des enfants et l'âge social optimum pour en assumer la charge et l'éducation.

C'était exactement ainsi qu'un couple, les Breeze, avait procédé, il y a une dizaine d'années. Elle venait de fêter son neuvième anniversaire, lui avait un peu plus de dix ans, il était aspirant pilote et elle étudiante à l'université d'Arès. Ils s'inscrivirent pour trois bébés, accord leur fut donné et ils les eurent tous les trois pendant leurs dernières années d'étudiants. C'était fort intelligent.

Et le temps passa. Il obtint son brevet de pilote et devint capitaine, elle fut d'abord comptable et, ensuite, commissaire à bord du vaisseau de son mari. Une vie heureuse. Ce sont là des arrangements fréquents dans les compagnies spatiales : les ménages naviguant ensemble facilitent les problèmes que pose la conduite d'un navire et tout le monde est content.

Au bout de dix ans et demi (vingt années terriennes), le capitaine et Mme Breeze demandèrent à être mis à la retraite anticipée avec demi-solde, leur requête fut acceptée et ils télégraphièrent aussitôt à la crèche pour qu'on décante leurs trois bébés.

Le message est reçu, répété pour confirmation. La crèche accepte. Cinq semaines plus tard, l'heureux couple va chercher les bébés, signe la décharge et entame la seconde partie d'une vie parfaitement programmée.

C'était du moins ce qu'ils pensaient.

Mais ils avaient mis en dépôt deux garçons et une fille. On leur rendit deux filles et un garçon. Les nôtres.

Vous ne me croirez peut-être pas, mais il leur

fallut près d'une semaine pour s'en apercevoir. Je suis toute prête à convenir que la différence entre un petit garçon tout neuf et une petite fille toute neuve est, à ce moment, presque insignifiante. Néanmoins, il y en a une légère. Apparemment, tout est venu de ce qu'il y avait trop de monde pour aider : une mère, une belle-mère, une nourrice temporaire et une voisine serviable, des allées et venues qui n'en finissaient pas... bref, il semblerait vraisemblable que, durant la première semaine, personne n'ait fait intégralement la toilette des trois enfants en même temps. En tout cas, pas Mme Breeze. Jusqu'au jour où cela lui arriva. Elle vit, s'évanouit et laissa tomber l'un des bébés dans la baignoire où il se serait noyé si le hurlement qu'elle poussa n'avait fait accourir son mari et la voisine.

Et c'est comme ça que nous avons eu d'un coup d'un seul des triplés âgés d'un mois.

L'avocat de la crèche demeura vague dans ses explications. Visiblement, il ne tenait pas à discuter de la raison pour laquelle le système d'identification d'une « fiabilité à toute épreuve » avait abouti à une pareille confusion. Aussi, j'ignore cette raison, mais la logique est là et il me semble avéré que malgré les numéros de série, les empreintes plantaires, les machines à classement, etc., il y a eu en un point quelconque de la filière un employé qui a dit « Breeze » en lisant le câble, un autre qui a pointé une fiche puis a tapé « Fries » sur le clavier — et une machine a fait le reste.

Mais le robin s'est bien gardé de raconter tout cela. Une seule chose le tourmentait : que papa et maman n'intentent pas de procès, qu'ils acceptent un chèque et signent une décharge par laquelle ils s'engageaient à ne pas rendre l'erreur publique.

On tomba d'accord sur une somme représentant le pouvoir d'achat professionnel de Mère pendant trois ans et l'avocaillon poussa un *ouf* de soulagement.

Mais personne ne m'a proposé de m'indemniser, moi, pour la ruine de ma vie, de mes espoirs et de mes ambitions. Clark émit une suggestion presque intelligente venant de lui : que nous fassions l'échange avec les Breeze — on leur laisserait les chauds et on garderait les froids. Tout le monde serait content et on pourrait aller sur la Terre.

Mon frère est beaucoup trop égoïste pour s'en être rendu compte mais, à ce moment, l'Ange de la Mort le caressa de ses ailes. Papa est indiscutablement une belle âme. Mais c'était plus qu'il n'en pouvait supporter.

Et moi aussi. J'avais espéré être aujourd'hui en route pour la Terre. C'eût été mon premier voyage dans l'espace au delà de Phébos, et, Phébos, cela n'avait été qu'une excursion de ma classe, notre baptême de l'espace. Rien du tout.

Au lieu de ça, devinez ce que je suis en train de faire!

Savez-vous combien de fois par jour il faut changer *trois* bébés?

3

Arrêtez! Stoppez les machines! Effacez les bandes magnétiques! Annulez tous les bulletins...

NOUS PARTONS QUAND MÊME POUR LA TERRE...

Enfin, pas tous. Ni papa ni maman. Et, naturellement, pas les triplés. Mais... du calme! Il vaut mieux que je raconte tout dans l'ordre.

Hier, la situation avait atteint les limites du supportable. Je les avais changés à tour de rôle pour m'apercevoir, une fois le troisième tout propre et tout sec, que le numéro un avait à nouveau besoin de mes services. Je pensais tristement que j'aurais dû être au même moment en train de faire mon entrée dans la salle à manger du *Wanderlust* aux accents d'une musique douce. Peut-être au bras d'un officier... peut-être même à celui du commandant en personne si l'occasion m'avait été donnée de combiner une heureuse rencontre imprévue et de faire un usage judicieux de mon expression « petit chat intrigué ».

J'en étais arrivée à ce point de ma rêverie mélancolique quand je constatai que toute la corvée était à recommencer. Je songeais aux écuries d'Augias, franchement, trop, c'était trop. Et mes yeux s'emplirent de larmes.

C'est alors que surgit ma mère et je lui demandai bien poliment si je pouvais prendre deux heures de repos. « Mais certainement, ma chérie », répondit-elle sans même m'honorer d'un coup d'œil. Je suis sûre qu'elle n'a pas remarqué que je pleurais : elle était déjà en train de changer en toute inutilité le bébé que je venais de terminer. Elle avait été clouée au téléphone, expliquant fermement à quelqu'un que s'il était exact, en effet, qu'elle ne quittait pas Mars, il n'était plus question qu'elle accepte une autre mission, même en tant que conseiller. D'ailleurs, cela faisait dix minutes qu'elle était éloignée des enfants, elle ne se sentait pas tranquille et il fallait qu'elle retourne s'en occuper dare-dare.

Le comportement de Mère était absolument incroyable. Son cortex était hors circuit et elle était totalement esclave de ses instincts primitifs. Elle me fait penser à une chatte que nous avions quand j'étais petite fille, Miss Polka, et à ses petits. Miss Polka nous aimait tous et avait confiance en nous — sauf quand il s'agissait de ses chatons. Si l'on en caressait un, cela ne lui plaisait pas. Si on le sortait de sa boîte pour le poser par terre afin de l'admirer, elle bondissait, le prenait par la peau du cou et lui faisait incontinent réintégrer ladite boîte avec un tortillement indigné de la croupe qui montrait sans équivoque ce qu'elle pensait des gens irresponsables qui ne savaient pas manipuler les bébés.

Maintenant, maman est exactement comme cela. Elle accepte mon aide pour l'unique raison qu'il y a trop de travail pour elle seule, mais elle ne croit pas réellement que je serais capable, ne serait-ce que de soulever un bébé sans être surveillée de près.

Je suis donc sortie et j'ai suivi l'instinct aveugle qui m'ordonnait de me mettre à la recherche d'oncle Tom.

Je l'ai trouvé au club des Elans, ce qui n'avait rien de très étonnant à cette heure de la journée, mais je dus attendre dans le salon des dames qu'il sorte de la salle de jeu. Il en émergea dix minutes plus tard, comptant une liasse de billets tout en marchant.

— Excuse-moi de t'avoir fait attendre, me dit-il, mais je faisais à l'un de nos concitoyens un cours sur les incertitudes des lois du hasard et il m'a fallu rester le temps nécessaire pour toucher mes honoraires. Qu'est-ce qu'il t'arrive, ma mignonne?

J'essayai de le lui raconter mais mes sanglots embrouillaient tout. Alors, il m'a conduit jusqu'au parc en bas de l'hôtel de ville, m'a fait asseoir sur un banc, a acheté deux paquets de chocopop, j'ai mangé le mien et la plus grande partie du sien, je lui ai tout raconté en regardant les étoiles du dôme et je me suis sentie mieux.

Il m'a tapoté la main.

— Console-toi, Flicka, et rappelle-toi toujours que lorsque les choses paraissent désespérées, elles s'aggravent encore généralement de façon considérable. (Il prit son téléphone de poche et composa un numéro :) Je me moque éperdument du protocole, mademoiselle, l'entendis-je bientôt s'exclamer. Ici le sénateur Fries. Passez-moi le directeur. (Il y eut une pause puis :) Hymie? Tom Fries à l'appareil. Comment va Judith? Parfait, parfait... Hymie, je vous appelle seulement pour vous dire que j'arrive tout de suite pour vous flanquer dans un de vos

26

bacs à hélium liquide. Disons, d'ici un quart d'heure environ. Cela vous donnera le temps de quitter la ville. Terminé. (Il rempocha son téléphone :) Viens, on va déjeuner. Il ne faut jamais se suicider le ventre vide, ma chérie, c'est mauvais pour la digestion.

Oncle Tom me conduisit au Club des Pionniers. Je n'y avais été qu'une seule fois et c'est encore plus impressionnant que je ne me le rappelais. Il y a de *vrais serveurs*, des hommes si vieux qu'on pourrait croire qu'ils ont eux-mêmes été des pionniers. Tout le monde s'affairait autour du tonton, il appelait les gens par leur prénom. Les autres, eux aussi, l'appelaient « Tom » mais cela sonnait comme « Votre Majesté ». Le maître d'hôtel vint en personne et me prépara des petits plats avec, autour de lui, six personnes qui lui tendaient les accessoires. On aurait dit un chirurgien qui opère un patient en luttant contre la mort.

Bientôt, oncle Tom rota derrière sa serviette et je remerciai tout le monde en partant, tout en regrettant de ne pas avoir eu la prévoyance de mettre la robe « immettable » que maman m'a interdit de porter avant l'âge de neuf ans et qu'elle a failli m'obliger à rendre au magasin. Ce n'est pas tous les jours que l'on va au Club des Pionniers.

Nous prîmes le tunnel express James Joyce Fogarty et oncle Tom resta assis pendant tout le voyage. Je dus donc en faire autant bien que cela me donne des fourmis dans les jambes. Je préfère marcher dans le sens du déplacement du tunnel pour arriver un peu plus tôt mais oncle Tom prétend que regarder les autres se fatiguer à mort lui suffit comme exercice.

J'étais tellement obnubilée par mes émotions que je ne réalisai vraiment que nous nous rendions à la crèche de Marsopolis que lorsque nous fûmes arrivés. Mais quand nous nous retrouvâmes devant une pancarte : BUREAU DU DIRECTEUR — PASSEZ PAR L'AUTRE PORTE, oncle Tom me dit :

— Va te promener. J'aurai besoin de toi tout à l'heure.

Et il entra.

La salle d'attente était bourrée et il n'y avait que des revues de puériculture et de conseils ménagers. Aussi, je traînai un peu et découvris bientôt un couloir qui conduisait à la pouponnière. L'écriteau annonçait que les visites avaient lieu de 16 heures à 18 h 30. De plus, la porte était fermée à clé. Je finis par en découvrir une autre qui paraissait beaucoup plus prometteuse. Il y avait marqué dessus : ENTRÉE STRICTEMENT INTERDITE. Mais comme il n'était pas précisé : « Cela vous concerne personnellement » et qu'elle n'était pas fermée à clé, j'entrai.

Vous n'avez jamais vu autant de bébés dans toute votre vie!

Ils s'alignaient en rangs serrés, chacun dans sa petite alcôve transparente. En réalité, je ne pouvais voir que la rangée la plus proche de moi et tous avaient l'air d'être à peu près du même âge — et beaucoup plus achevés que les trois que nous avions à la maison. De petites boules brunes aussi adorables que des chiots. La plupart dormaient, mais quelques-uns étaient réveillés; ils gigotaient, gazouillaient et tripopaient les joujoux accrochés à leur portée. S'il n'y avait pas eu la vitre qui s'interposait, j'en aurais bien pris deux brassées.

Il y avait aussi une multitude de filles dans la pièce — enfin, c'était plus exactement des jeunes femmes. Elles s'affairaient toutes sur un bébé et ne me remarquèrent pas. Mais voilà qu'un de ceux qui étaient près de moi se mit à pleurer. Aussitôt, un voyant s'alluma au-dessus de l'alcôve et une infirmière se précipita, ouvrit le compartiment, prit le bébé et se mit à lui tapoter le derrière. Il se tut.

— Il est mouillé? demandai-je.

La jeune fille leva les yeux et me vit.

— Oh non! Les machines se chargent de cela. Il s'ennuyait, c'est tout. Alors, je lui fais des papouilles.

Sa voix me parvenait distinctement malgré la vitre. Sans aucun doute, il y avait un circuit de sonorisation à double entrée bien qu'aucun haut-parleur ne fût visible. Elle fit des guili-guili au bébé et ajouta :

— Vous êtes une nouvelle? Vous avez l'air perdu.

— Oh non! répondis-je précipitamment. Je ne suis pas une employée. Je suis seulement venue...

— Dans ce cas, vous n'avez pas le droit d'être ici à cette heure. A moins... (Elle m'enveloppa d'un regard quelque peu dubitatif :)... à moins que vous ne cherchiez la classe de préparation aux jeunes mamans?

— Oh non! non! pas encore. Je suis une invitée du directeur, ajoutai-je tout aussi précipitamment.

Ce n'était pas une blague. Pas tout à fait. J'étais l'invitée d'un invité du directeur, d'une personne qui était chez le directeur avec qui elle avait rendez-vous. Il y avait indiscutablement là, sinon une équivalence, du moins un rapport causal.

Mon interlocutrice parut rassurée.

— Que voulez-vous exactement? En quoi puis-je vous être utile?

— Euh... Je m'informe, c'est tout. Je fais une sorte d'enquête. Que se passe-t-il dans cette salle?

— Tous ces bébés sont âgés de six mois et sont sortants. Dans quelques jours, ils rentreront chez eux. (Elle recoucha le bébé apaisé, lui glissa une tétine dans la bouche, manipula divers accessoires à l'extérieur de l'alcôve, et le matelas se souleva pour maintenir l'enfant en contact avec le distributeur de lait; puis elle ferma le couvercle et alla un peu plus loin s'occuper d'un autre bébé :) Personnellement, poursuivit-elle, j'estime que le contrat de six mois est le meilleur. Un enfant de douze mois est assez âgé pour remarquer le changement. Mais ceux-là sont trop jeunes. Ils se moquent de savoir qui vient les dorloter quand ils pleurent. Cependant, six mois est un bail assez long pour bien démarrer un bébé et soulager la mère du plus gros de la corvée. Nous savons nous y prendre, nous avons l'habitude et nous nous relayons par équipes de sorte que personne n'est jamais exténué pour avoir veillé un bébé toute la nuit. Aussi, nous n'avons pas de crises de colère, nous ne crions jamais après eux — et n'oubliez surtout pas que ce n'est pas parce qu'un bébé ne parle pas encore qu'il ne comprend pas ce que signifie une voix courroucée. Il comprend très bien! Et cela risque de le perturber à tel point qu'il peut prendre sa revanche sur quelqu'un d'autre des années plus tard. Là, là, mon coco, enchaîna-t-elle (cette fois, ce n'était pas à moi qu'elle s'adressait), ça va mieux, maintenant, tu as envie de faire dodo, hein? Alors, tu vas être bien sage et Martha te tiendra la main jusqu'à ce que tu dormes bien.

Au bout d'un moment, elle abandonna le bébé assoupi, rabattit le couvercle et se dirigea en hâte vers une autre alcôve dont le voyant s'était allumé.

— Un bébé n'a pas le sens du temps, fit-elle en sortant du berceau un petit tas de chair hurlant comme une furie. Quand il veut de la tendresse, il la lui faut tout de suite. Il ne peut pas savoir que... (Une femme plus âgée était arrivée derrière elle :) Oui, madame?

— Qui est cette personne avec qui vous bavardez? Vous connaissez le règlement?

— Mais... c'est une invitée de M. le directeur.

La vieille me toisa d'un air sévère, style scrogneugneu.

— M. le directeur vous a envoyée ici?

J'étais en train de choisir entre trois réponses qui n'en étaient pas lorsque je fus sauvée par le destin. Une voix mélodieuse qui venait de partout retentit : « Mlle Podkayne Fries est priée de se rendre chez M. le directeur. Mademoiselle Podkayne Fries, veuillez avoir l'amabilité de vous rendre au bureau de M. le directeur. »

Je levai fièrement le menton et déclarai sur un ton très digne :

— C'est moi, madame. Auriez-vous l'obligeance de téléphoner au directeur pour lui dire que Mlle Fries arrive?

Je sortis avec une hâte délibérée.

Le bureau du directeur était quatre fois plus grand et seize fois plus impressionnant que le cabinet du proviseur au lycée. Le directeur était petit, il avait le teint foncé, une barbiche grise et la physionomie hagarde. En dehors de lui et d'oncle Tom, il y avait deux autres personnes : l'avocaillon qui avait passé un bien mauvais moment la semaine dernière avec papa, et Clark. Je n'imaginais pas comment il pouvait être là. Sauf que mon frère a un instinct infaillible qui le dirige tout droit là où il y a des ennuis.

Il m'adressa un regard inexpressif. Je hochai le menton. Le directeur et son sbire juridique se levèrent. Oncle Tom resta assis et fit les présentations :

— Dr Hyman Schoenstein, M. Poon Kwai Yau — ma nièce Podkayne Fries. Assieds-toi, choupette. Personne ne va te manger. Le directeur a une proposition à te faire.

L'homme de loi l'interrompit :

— Je ne pense pas...

— Parfaitement exact, approuva oncle Tom. Vous ne pensez pas. Autrement, il vous serait peut-être venu à l'esprit que quand on jette un pavé dans la mare, ça fait des vagues.

— Mais... Docteur Schoenstein, la décharge que m'a remise le Pr Fries spécifie explicitement qu'il s'engage à garder le silence tout bien pesé et réfléchi relativement au préjudice causé par nous et dont dédommagement a été effectué.

C'est purement et simplement du chantage. Je...

Cette fois, oncle Tom se leva. Il était deux fois plus grand que d'habitude et son sourire était celui d'un masque effrayant.

— Quel est le dernier mot que vous avez prononcé?

— Moi? (L'avocat paraissait perplexe :) Mes paroles ont peut-être dépassé ma pensée. Je voulais simplement dire...

— Je vous ai entendu, gronda oncle Tom. Et trois témoins également. Il se trouve que c'est là une insulte pour laquelle on peut provoquer un homme en duel sur cette planète encore libre. Mais puisque je vieillis et que je m'empâte, je me contenterai peut-être de vous traîner en justice et vous y laisserez votre chemise. Venez, les enfants!

Le directeur se hâta d'intervenir :

— Tom, rasseyez-vous, je vous en supplie. Et vous, monsieur Poon, je vous prierai de vous taire jusqu'à ce que je vous demande votre avis. Maintenant, Tom, vous savez fort bien que vous ne pouvez ni jeter un défi ni intenter un procès sur la base d'une communication privée entre un conseil juridique et son client.

— Je peux faire l'un et l'autre. Ou l'un ou l'autre. La question est de savoir si un tribunal me soutiendra. Mais on aura toujours le temps de voir.

— Et étaler sur la place publique l'affaire même que je ne peux pas me permettre de laisser s'ébruiter comme vous ne l'ignorez pas. Et cela uniquement parce que mon avocat a eu une parole de trop par excès de zèle, n'est-ce pas, monsieur Poon?

— J'ai voulu me rétracter. Je me rétracte.

— Alors, sénateur?

Oncle Tom eut une inclination gourmée de la tête à l'adresse de M. Poon qui la lui rendit.

— J'accepte vos excuses, maître. Il n'y a pas d'offense et tout est pardonné. (Sur ce, un sourire joyeux s'épanouit sur le visage de l'oncle Tom qui laissa sa brioche reprendre sa place légitime au-dessous de son sternum et enchaîna d'une voix normale :) Parfait, Hymie. Revenons-en à nos moutons. A vous de parler.

— Chère mademoiselle, commença le Dr Schoenstein avec circonspection, je viens d'apprendre que la récente modification qui a perturbé vos projets familiaux et que nous regrettons tous profondément a été cause, en outre, d'une vive déception pour vous et pour votre frère.

— Et comment! m'exclamai-je d'une voix, je le crains, plutôt stridente.

— Oui. Ainsi que monsieur votre oncle le faisait remarquer, cela fait des vagues. Une de ces vagues pourrait causer la ruine de cet établissement, le faire mettre en faillite en tant qu'entreprise privée. C'est une activité bien particulière que la nôtre, mademoiselle Fries. En apparence, il s'agit de banale ingénierie à quoi s'ajoutent des prestations de service et de gardiennage qui n'ont rien d'inhabituel. Mais, en fait, ce que nous faisons est en prise directe sur les plus primordiales des émotions humaines. Si la confiance en notre intégrité ou en la perfection avec laquelle nous accomplissons les tâches commises à notre soin était ébranlée... (Il leva les bras dans un geste d'impuissance)... nous serions forcés de fermer nos portes avant la fin de l'année. Je peux vous montrer exactement comment l'erreur dont a été victime votre famille s'est produite, vous démontrer qu'il était totalement invraisemblable qu'elle ait pu se produire, même compte tenu des méthodes que nous utilisions alors, vous prouver qu'il est et qu'il sera désormais totalement impossible qu'une pareille erreur puisse intervenir à nouveau grâce aux nouvelles procédures que nous avons élaborées. Cependant (il reprit son air désemparé), si vous parliez, si vous disiez tout bonnement la simple vérité sur l'unique incident qui a effectivement eu lieu, vous pourriez nous réduire à la ruine.

Il me faisait tellement de peine que j'étais sur le point de m'écrier que l'idée de parler ne me serait jamais venue — bien qu'ils eussent ruiné ma vie — quand Clark intervint :

— Attention, Pod! Il te baratine.

Aussi, je me bornai à prendre ma mine de sphinx et je refermai la bouche. L'instinct de Clark pour sauvegarder ses intérêts personnels n'est jamais en défaut.

Le directeur fit signe à M. Poon de ne pas venir mettre son grain de sel.

— Mais, ma chère demoiselle, je ne vous demanderai pas de ne pas parler. Comme votre oncle le sénateur le disait, vous n'êtes pas ici pour vous livrer à un chantage et j'ai les mains vides, je ne peux pas négocier. La Fondation de la Crèche de Marsopolis honore toujours ses obligations même quand elles ne résultent pas d'un contrat en bonne et due forme. Si je vous ai priée de venir, c'est pour vous soumettre une solution afin de vous dédommager du préjudice que nous vous avons incontestablement causé, encore que de façon non intentionnelle, à vous et à votre frère. Votre oncle m'a fait savoir qu'il avait l'intention de vous accompagner sur Terra, vous et vos parents, mais que, maintenant, son intention est de prendre le premier astronef de la ligne du Triangle en partance. Je crois que le *Tricorne* doit appareiller dans une dizaine de jours. Estimeriez-vous que le tort que vous avez subi serait en partie racheté si nous vous offrions, à vous et à votre frère, un passage en première classe — aller et retour, bien entendu — sur un bâtiment de la ligne du Triangle?

Vous parlez! Le seul avantage du *Wanderlust*, c'est que c'était effectivement un astronef et qu'il faisait la liaison avec la Terre. Mais c'est un vieux cargo lent. Alors que les unités de la ligne du Triangle sont des palaces, ni plus ni moins, ainsi que chacun sait! Je fus incapable de faire autre chose que de hocher la tête.

— Parfait! Nous sommes enchantés et nous espérons que vous ferez un merveilleux voyage. Mais.. euh... jeune demoiselle... vous serait-il possible de nous donner sous une forme ou sous une autre et sans contrepartie, uniquement par obligeance, l'assurance que vous ne parlerez pas de certaine regrettable erreur?

— Oh? Je croyais que cela faisait partie du marché.

— Il n'y a pas de marché. Comme votre oncle me l'a précisé, nous vous devons ce voyage, en toute hypothèse.

— Mais... mais, docteur Schoenstein, je vais être tellement occupée, tellement bousculée, rien que pour être prête dans les délais, que je n'aurai le temps de parler à personne d'un incident dont vous n'êtes, d'ailleurs, probablement pas responsable.

— Je vous remercie. (Il se tourna vers Clark :) Et toi, fiston?

Clark n'aime pas qu'on l'appelle « fiston ». Et c'est un euphémisme. Mais je ne crois pas que cela eut d'incidence sur sa réponse. Il ignora le qualificatif et dit sur un ton froid :

— Et nos frais?

Le directeur tiqua, et oncle Tom s'étrangla de rire.

— Ça, c'est bien de mon Clark! Je vous l'ai dit, mon cher, il a la rapacité candide d'un alligator des sables. Il ira loin, ce garçon... Si personne ne l'empoisonne.

— J'attends vos suggestions.

— Ne t'en fais pas, Hymie. Regarde-moi dans les yeux, Clark. Ou tu restes et on t'enferme dans un fût soudé et on te nourrira par la bonde pour que tu ne parles pas, étant bien entendu que ta sœur partira, elle — ou tu acceptes ces conditions. Disons mille... non, quinze *cents* chacun pour vos frais de route et tu la boucles jusqu'à perpète sur cette histoire de mélange de bébés. Sinon, avec l'aide de quatre solides gaillards au cœur noir comme le péché, je te coupe la langue et je la donne à manger aux chats. Marché conclu?

— Je devrais toucher dix pour cent de commission sur les quinze *cents* de Pod puisqu'elle n'a pas été assez maligne pour les demander.

— Pas question de pot-de-vin. C'est moi qui devrais te réclamer un pourcentage sur l'ensemble de la transaction. Alors, marché conclu?

— Marché conclu, répondit Clark.

Oncle Tom se leva.

— C'est parfait, docteur. A sa manière peu recommandable, mon neveu est aussi digne de confiance que ma nièce. Alors, soyez tranquille. Vous aussi, Kwai Yau, vous pouvez recommencer à respirer. J'attends votre chèque demain matin, docteur. En route, les enfants!

— Merci, Tom... si c'est bien le mot qui convient. Le chèque partira avant que vous ne soyez arrivé. Oh! Encore une chose...

— Quoi donc?

— Vous étiez ici longtemps avant que je sois né, sénateur. Aussi je ne connais pas grand-chose de votre vie passée. Juste les récits traditionnels et ce que l'on dit de vous dans le *Who's Who de Mars*. Pourquoi avez-vous été relégué? Parce que vous avez été relégué, n'est-ce pas?

M. Poon parut frappé d'horreur. Moi aussi. Mais oncle Tom n'eut pas l'air offusqué. Il éclata d'un bon gros rire et répondit :

— J'avais été accusé de congeler des bébés par appât du gain. Mais c'était une machination. Je n'ai jamais fait une chose pareille. Venez, les enfants. Quittons ce repaire de goules avant qu'elles ne nous fassent subrepticement disparaître dans leurs oubliettes.

Dans mon lit, ce soir-là, je songeais à ce voyage. Il n'y avait pas eu la moindre discussion avec papa et maman : oncle Tom avait tout arrangé au téléphone avant même que je ne sois rentrée. Entendant du bruit dans la nursery, je me levai et y entrai sur la pointe des pieds. C'était Duncan, le petit amour. Il n'était même pas mouillé mais il se sentait tout esseulé. Je le pris dans mes bras, le dorlotai, il gazouilla et, quand il fut mouillé, je le changeai. Franchement, il était aussi beau, voire plus beau que tous ces autres bébés bien qu'il eût cinq mois de moins qu'eux et que ses yeux ne suivissent pas les mouvements. Quand je le recouchai, il dormait comme une marmotte. Je me dirigeai à nouveau vers mon lit.

Et m'arrêtai net... Si la ligne du Triangle s'appelle ainsi, c'est naturellement parce qu'elle dessert les trois principales planètes. Mais la direction que prend un navire empruntant la route Mars-Vénus-Terre dépend de la position exacte des trois orbites.

Où étions-nous exactement?

Je me ruai dans la salle de séjour pour chercher le *Daily War Whoop*. Dieu soit loué, je le trouvai, le glissai dans le lecteur et tournai le bouton jusqu'à ce que je tombe sur les prévisions d'arrivées et de départs des astronefs.

Oui, oui, oui! Je n'irais pas seulement sur la Terre mais aussi sur Vénus!

Vénus! Pensez-vous que Mère me laisserait... Non, mieux vaut ne rien dire pour le moment. Oncle Tom sera plus facile à manier une fois que nous serons là-bas.

Duncan me manquera. Ce qu'il peut être chou!

4

Il y a une éternité que je n'ai pas eu le temps

de tenir mon journal. Tout peaufiner pour le départ aurait été presque impossible — et ça l'aurait été totalement si la plupart des formalités telles que les piqûres spéciales exigées pour se rendre sur la Terre, les photos, les passeports et *tutti quanti* n'avaient pas été réglées, pour l'essentiel, avant le Grand Cafouillage. Mais Mère émergea de son coma atavique et se révéla des plus utiles. Elle n'aurait même pas hésité à laisser pleurer l'un des triplés pendant quelques minutes plutôt que de me laisser m'embarquer à moitié attifée.

Je ne sais pas comment Clark se prépara ni même s'il avait des préparatifs à faire. Il continuait de traînailler sans mot dire, répondant par des grognements aux questions qu'on lui posait. Oncle Tom n'éprouvait, lui non plus, aucune difficulté apparente. Je ne le vis que deux fois pendant cette décade frénétique (la première pour lui demander de me rétrocéder une partie de son allocation de masse-bagages, qu'il me donna de grand cœur, le cher homme) et les deux fois, il me fallut l'extirper du salon de jeu du club des Elans. Comme je m'étonnais qu'il eût encore le temps de jouer aux cartes à la veille d'un voyage aussi important, il me répondit :

— Plaisanterie! J'ai acheté une brosse à dents neuve. Que veux-tu que je fasse d'autre?

Du coup, je l'ai serré très fort dans mes bras. Il a été tout ce qu'il y a de chou, il a gloussé de rire et m'a ébouriffé les cheveux. Question : M'arrivera-t-il un jour d'être aussi blasée, s'agissant des voyages spatiaux? Il le faudra bien si je veux devenir astronaute, je suppose. Mais papa affirme que les préparatifs d'un voyage, c'est la moitié du plaisir. Alors, je n'ai pas envie de devenir aussi sophistiquée.

Mère finit par réussir le tour de force de m'expédier au terminus de la navette, armée de pied en cap avec tout le toutim, mes bagages et des tonnes de paperasses-billets, certificats médicaux, passeport, complexe d'identification universel, autorisation de la puissance parentale, chèques de voyage, trois sortes de devises différentes, extrait de naissance, autorisation de sortie délivrée par la police, permis d'émigration et j'en oublie. Je faisais du trapèze volant avec un tas de trucs qui refusaient obstinément d'entrer dans ma valise, j'avais un chapeau sur la tête et un autre à la main. A part ça, tout se passa sans faire un pli. (J'ignore ce qu'il est advenu de mon second chapeau. Toujours est-il qu'il n'a pas embarqué avec moi. Mais je ne l'ai pas regretté.)

Les adieux furent tout ce qu'il y a de déchirant et d'excitant. Pas seulement ceux de papa et maman, ceux-là étaient prévisibles (quand papa me prit par les épaules, je le serrai de toutes mes forces et, pendant une atroce seconde, je ne voulus plus partir) mais aussi parce qu'une trentaine de mes camarades d'école (et, là, c'était imprévu) se pointèrent en brandissant une pancarte où l'on pouvait lire :

BON VOYAGE, PODKAYNE

On me fit suffisamment de lèche-museau pour déclencher une bonne épidémie si jamais une des filles avait eu quelque microbe mais, apparemment, personne n'avait rien. Je fus embrassée par des garçons qui, jusqu'alors, n'avaient jamais essayé — et je vous garantis qu'il n'est pas rigoureusement impossible de m'embrasser si l'on procède avec assurance et finesse — je crois, en effet, qu'on devrait laisser s'exprimer ses instincts tout en manifestant un comportement cortical sans équivoque.

Le bouquet que papa m'avait offert fut tout écrasé, ce dont je ne m'aperçus qu'une fois à bord de la navette. Je présume que c'est à peu près à ce moment-là que j'ai égaré mon chapeau mais je ne le saurai jamais. J'aurais également perdu ma valise de dernière minute si oncle Tom ne l'avait récupérée. Il y avait aussi des photographes. Mais pas pour moi, pour l'oncle. Et puis, brusquement, il a fallu embarquer daredare parce qu'une navette, ça n'attend pas. Il faut qu'elle décolle à la seconde pile, même si Deïmos est beaucoup plus lent que Phobos. Un reporter était encore en train d'essayer d'obtenir d'oncle Tom une déclaration à propos de la toute prochaine conférence triplanétaire mais le tonton montra sa gorge et chuchota dans un souffle : « Laryngite » — et nous nous engouffrâmes dans la navette juste avant qu'ils ne ferment le sas.

Cette laryngite a dû être la plus courte des annales : oncle Tom parlait tout à fait normalement avant que nous n'arrivions à l'astroport et il retrouva sa voix dès qu'il fût à bord.

Qu'on se rende à Phobos ou à Deïmos, tous les voyages en navette se ressemblent. Pourtant, comme c'est excitant le premier *whoosh!* de l'accélération qui vous plaque contre la cou-

chette, vous écrase au point que vous ne pouvez plus respirer et encore moins bouger. Et la
chute libre est toujours quelque chose d'étran-
ge et de fantastique qui vous soulève l'estomac
même si on l'a bien accroché, ce qui est mon cas,
je vous remercie.

Quand on est sur Deïmos, c'est exactement
comme quand on est en chute libre puisque
la pesanteur des deux satellites est trop faible
pour qu'on la sente. On nous a mis des sandales
à ventouses avant de nous détacher pour nous
permettre de marcher, exactement comme sur
Phobos. Néanmoins, Deïmos est différent de
Phobos pour des raisons qui n'ont rien à voir
avec des phénomènes naturels. Phobos fait,
bien entendu, légalement partie de Mars. On
peut s'y rendre sans aucune espèce de formalité.
Trois préalables seulement sont nécessaires :
payer sa place, avoir un jour de libre et aimer
les pique-niques dans l'espace.

En revanche, Deïmos est un port franc loué
à perpétuité à l'Autorité du Traité des Trois
Planètes. Un criminel connu, dont la tête est
mise à prix à Marsopolis, peut descendre d'un
astronef et monter dans un autre sous les yeux
de notre propre police sans qu'il soit possible
de toucher à un seul de ses cheveux : Au lieu
de cela, il faut intenter une action en justice
d'une invraisemblable complication auprès de
la Haute Cour interplanétaire de Luna, avoir
gain de cause sur le poteau et, en outre, prouver
que le crime est reconnu comme tel par les
règles triplanétaires et pas seulement en vertu
de nos lois à nous. Alors, tout ce que l'on peut
faire est de demander au procureur de l'Auto-

rité d'arrêter l'individu si, contre toute vraisemblance, il est encore dans les parages.

J'avais une idée théorique de la situation parce qu'une demi-page y est consacrée dans le manuel intitulé *Rudiments d'Administration Martienne*, au paragraphe « extra-territorialité », que nous avons étudié à l'école. Mais j'avais maintenant tout le temps d'y réfléchir parce que, dès que nous eûmes débarqué de la navette, on nous enferma dans une pièce fallacieusement baptisée « salon d'accueil » en attendant que l'on fût prêt à nous « traiter ». L'un des murs était une baie vitrée et je pouvais voir des multitudes de gens se bousculer dans le hall et faire des tas de choses aussi intéressantes que mystérieuses. Mais nous, nous n'avions rien d'autre à faire qu'à attendre à côté de nos bagages et à nous embêter. La rage montait en moi de minute en minute, ce qui ne me ressemble pas car je suis normalement d'une nature douce et aimable. Quand même! C'était ma propre mère qui avait construit cet endroit et j'étais enfermée comme une souris blanche dans un labo de biologie!

(Enfin, je reconnais que Mère n'a pas à proprement parler construit Deïmos. Ce sont les Martiens qui s'en sont chargés en commençant avec un astéroïde disponible qu'ils avaient à portée de la main. Mais, il y a quelques millions d'années, ils se lassèrent des voyages dans l'espace et décidèrent de vouer leur temps à méditer sur l'art et la manière de pénétrer l'impénétrable, de sorte que lorsque Mère prit les choses en main, Deïmos était sérieusement déglingué. Elle a dû repartir à zéro et le reconstruire complètement.)

44

Toujours est-il que tout ce que je voyais derrière la vitre était, j'en étais certaine, le fruit de la créativité, de l'imagination, de l'obstination et du savoir-faire technique de ma mère. Je commençai à être exaspérée. Clark était en train de discuter dans un coin avec un inconnu — en tout cas un inconnu pour moi. On dirait que mon frère, en dépit de son caractère asocial, connaît toujours quelqu'un — ou quelqu'un qui connaît quelqu'un — partout où nous allons. Je me demande parfois s'il n'appartient pas à je ne sais quelle vaste organisation aussi secrète que clandestine. Il a des fréquentations tout ce qu'il y a de louche et il ne fait jamais venir ce genre de connaissances chez nous. Cela dit, Clark donne bien des satisfactions quand on est en boule parce que, lorsqu'il n'est pas occupé, il ne demande pas mieux que de vous aider à vouer aux gémonies tout ce qui mérite de l'être. Il est même capable de vous démontrer par A + B que la situation est encore plus injuste et plus abjecte que vous ne le pensiez. Seulement, il était occupé et il ne me restait qu'oncle Tom. Aussi, expliquai-je avec aigreur à ce dernier que je trouvais scandaleux que nous soyons parqués comme des animaux — nous, libres citoyens de Mars sur une lune de Mars! — tout bonnement à cause d'un écriteau : *Les passagers doivent attendre qu'on les appelle, par ordre de l'Autorité*.

— La politique! m'écriai-je âprement. Je serais capable de faire marcher ça mieux qu'eux.

— Je n'en doute pas, Flicka, fit-il gravement. Mais tu ne comprends pas.

— Je ne comprends que trop bien!

— Mais non, coco. Qu'est-ce que tu comprends? Qu'il n'y a aucune raison valable pour que tu ne franchisses pas cette porte immédiatement afin de t'amuser à faire du shopping jusqu'à l'heure d'embarquer à bord du *Tricorne*? Et tu n'as pas tort. Il n'y a, en effet, aucune raison pour que tu sois bouclée ici alors que tu pourrais faire le bonheur d'un commerçant qui t'extorquerait des sommes exorbitantes pour des marchandises en franchise qui te paraissent bon marché. Et tu dis « la politique! » comme si c'était un mot qui sent mauvais. Et tu t'imagines que le problème est réglé. Seulement, tu ne comprends pas, ajouta-t-il en soupirant. La politique n'a rien de mal. C'est la plus admirable réussite de la race humaine. Quand elle est bonne, c'est quelque chose de merveilleux... et quand elle est mauvaise — c'est encore très bien.

— En effet, je crois que je ne comprends pas!

— Réfléchis. La politique est tout simplement le nom que l'on donne au fait de parvenir à ses fins sans en découdre. On marchande, on fait des compromis et tout le monde croit s'être fait rouler. Seulement, après de longues et fastidieuses discussions, on trouve vaille que vaille un expédient pour obtenir ce que l'on veut sans que personne ne reçoive une égratignure. C'est ça, la politique. Autrement, il n'existe qu'une seule façon de régler un différend : se taper sur la tête et c'est ce qui se passe quand une des parties — ou les deux — ne veut plus transiger. C'est pour cela que je dis que, même quand elle est mauvaise, la politique est un bien. Le second terme de l'alternative, c'est la force et il y a toujours quelqu'un qui en fait les frais.

— Euh... Je trouve que c'est une drôle de façon de parler pour un vétéran de la Révolution. D'après ce que j'ai entendu dire, oncle Tom, tu faisais partie des gens altérés de sang qui ont démarré la bagarre.

— La plupart du temps, je me suis arrangé pour me dérober, fit-il en souriant. S'il n'y a pas moyen de marchander, alors, il faut se battre. Mais, si tu veux mon avis, ce sont les hommes sur lesquels on a fait des cartons qui sont les mieux placés pour se rendre compte qu'une cote mal taillée vaut mieux qu'une cervelle sautée. (Il plissa le front et, d'un seul coup, récolta dix ans de plus :) Savoir quand il faut discuter et savoir quand il faut se battre... De toutes les décisions judicieuses que l'on est amené à prendre dans sa vie, c'est celle-là la plus difficile. (Il sourit à nouveau et rajeunit d'autant :) L'humanité n'a pas inventé la bagarre. Elle existait bien avant nous. Mais elle a inventé la politique. Réfléchis à cela, cocotte. L'homo sapiens est le plus cruel, le plus hargneux, le plus sanguinaire et indiscutablement le plus dangereux de tous les animaux du système solaire. Et pourtant, il a inventé la politique! Il a concocté une méthode grâce à laquelle la plupart des gens parviennent la plupart du temps à s'entendre suffisamment pour ne s'entre-tuer qu'à titre exceptionnel. Alors, cesse d'employer le mot « politique » comme si c'était un gros mot.

— Je suis désolée, oncle Tom, fis-je avec humilité.

— Désolée? Toi? Ça m'étonnerait! Mais si tu laisses cette idée mûrir vingt ou trente ans, peut-être que tu finiras par l'être. Oh, oh! Voilà ton affreux, choupette... Le bureaucrate à la solde des politicards qui t'a condamnée à cette captivité aussi inique qu'ignominieuse. Eh bien, vas-y! Arrache-lui les yeux! Montre-lui donc le cas que tu fais de ses règlements grotesques!

En guise de réponse, je me murai dans un mutisme empreint de dignité. Il est malaisé de dire quand oncle Tom parle sérieusement car il adore me mettre en boîte. Le délégué de l'Autorité Triplanétaire auquel il faisait allusion avait ouvert la porte de notre fosse et nous examinait exactement comme un gardien de zoo qui s'assure de la propreté d'une cage.

— Passeports! cria-t-il. Les passeports diplomatiques en premier. (Son regard tomba sur nous et il reconnut mon oncle :) Monsieur le sénateur?

Oncle Tom secoua la tête.

— Je suis un simple touriste, merci beaucoup.

— Comme vous voudrez, monsieur. Que tout le monde se mette en rang ... par ordre alphabétique inversé.

Du coup, nous nous trouvâmes vers la fin de la queue au lieu d'être au début. Et nous piétinâmes ainsi pendant deux bonnes heures — les passeports, les certificats de non-contagion, la visite des bagages... de quoi devenir fou! La République martienne ne taxe pas les exportations mais il y a néanmoins une liste interminable de produits qu'il est interdit de sortir sans licence, les antiquités martiennes, par exemple (les premiers explorateurs n'ont pas ménagé leurs efforts pour fouiller et archifouiller certains sites et quelques-unes de leurs découvertes les plus précieuses sont exposées au British Museum ou au Kremlin — j'ai souvent entendu papa fulminer contre cet état de choses), certaines marchandises interdites en toutes circonstances, comme tel ou tel narcotique, et d'autres que l'on a le droit d'introduire à bord à la condition expresse de les confier au commissaire, comme les fusils et autres armes.

Pour Clark, ce contrôle apparaissait comme quelque chose d'absolument aberrant. On avait fait circuler chez les postulants voyageurs une longue liste de choses qui n'avaient pas leur place dans les bagages. Une liste que je trouvais fascinante. J'ignorais qu'il existait autant de trucs illégaux, immoraux ou meurtriers. Lorsque, enfin, la famille Fries, qui n'en pouvait plus, parvint au comptoir, l'inspecteur demanda d'un seul souffle :

— Z'avez-quelque-chose-à-déclarer? (C'était un homme de Mars. Il leva les yeux et reconnut oncle Tom :) Oh! Comment allez-vous, monsieur le sénateur? C'est un honneur pour nous. Je pense qu'il est inutile de perdre notre temps à visiter vos bagages. Ces jeunes gens vous accompagnent?

— Vous feriez quand même mieux de fouiller mon fourbi, répliqua oncle Tom. Je passe clandestinement des armes à l'intention d'une branche hors planète de la Légion. Quant à ces enfants, ce sont ma nièce et mon neveu, mais je ne réponds pas d'eux. Ce sont l'un et l'autre des contestataires. Surtout cette demoiselle. Pendant que nous attendions, elle appelait à la révolution.

L'inspecteur sourit :

— Je crois que nous pouvons fermer les yeux

sur quelques fusils, monsieur le sénateur : vous savez comment on s'en sert. Et vous, les enfants? Rien à déclarer?

— Rien à déclarer, fis-je avec une dignité glacée.

Et c'est alors que Clark sortit de son silence :

— Bien sûr que si, s'exclama-t-il. J'ai deux kilos de poudre de vertige. Et en quoi cela vous regarde-t-il? Je l'ai payée et ce n'est pas un quarteron de gratte-papier qui va me la voler.

L'aigreur de son ton était inimaginable. Et c'est bien simple, l'expression de sa figure appelait la claque.

Et ce qui devait arriver arriva... L'inspecteur se préparait à jeter un coup d'œil sur un de mes bagages à main, un examen qui n'aurait dû être qu'une simple formalité, j'en suis sûre, lorsque mon fort en gueule de frère mit ainsi délibérément les pieds dans le plat. A la seule mention de « poudre de vertige », quatre autres douaniers se précipitèrent à la rescousse. Deux d'entre eux étaient des hommes de Vénus à en juger par leur accent et les deux autres auraient pu être des Terriens.

Bien entendu, la poudre de vertige ne présente aucun intérêt pour les hommes de Mars. Les Martiens en font usage, ils en ont toujours fait usage et c'est pour eux une denrée aussi importante que le tabac pour les humains, mais elle n'a apparemment pas d'effets néfastes. Ne me demandez pas quel plaisir elle procure aux Martiens, je n'en sais rien. Quelques vieux rats des sables ont pris l'habitude de priser à leur contact mais, en classe de botanique, nous en avons toutes fait l'expérience sous le contrôle de notre professeur et aucune d'entre nous n'a éprouvé la moindre ivresse. Moi, tout ce que j'ai eu, c'est un blocage des sinus qui a disparu avant la fin de la journée. Bref, zéro pour la question. Un zéro pointé.

Mais pour les Vénériques d'origine, c'est une autre paire de manches — quand ils parviennent à s'en procurer. Ça les transforme en fous meurtriers et ils feraient n'importe quoi pour se ravitailler. Le prix de la marchandise (au noir) est extrêmement élevé, en vérité. Et un humain trouvé en possession de cette drogue sur Vénus est au minimum passible de la relégation à vie sur les lunes de Saturne.

Les inspecteurs fondirent sur Clark comme un essaim de guêpes en colère, mais ils ne trouvèrent pas ce qu'ils cherchaient. Oncle Tom finit par intervenir :

— Est-ce que je pourrais faire une suggestion, inspecteur?

— Certainement, monsieur le sénateur.

— Mon neveu, je suis au regret d'avoir à le dire, a troublé l'ordre. Pourquoi ne le gardez-vous pas dans un coin — à votre place, je l'attacherais — pour laisser tous ces braves gens passer?

L'inspecteur battit des paupières.

— Cela me paraît une idée excellente.

— Et je vous serais reconnaissant de bien vouloir me fouiller moi-même et de fouiller ma nièce. Ainsi, nous ne retarderons pas les personnes qui sont derrière nous.

— Oh! Ce n'est pas nécessaire. (Le douanier tamponna les bagages de l'oncle, referma ma valise qu'il avait commencé à ouvrir en disant :)

Inutile de mettre du désordre dans la lingerie de la jeune demoiselle. Mais j'ai bonne envie de faire passer ce petit malin aux rayons X après l'avoir fouillé jusqu'à l'os.

— Faites donc.

Ainsi, nous avançâmes, l'oncle et moi, et après quatre ou cinq autres contrôles — celui du fisc, celui de l'émigration, celui des réservations et je ne sais quoi de tout aussi ridicule —, nous arrivâmes au bout du compte à la centrifugeuse pour la pesée. Pour faire du shopping, je n'avais plus qu'à me brosser.

A mon grand dépit, quand je descendis de ce manège de chevaux de bois, le voyant indiquait que mes bagages et moi dépassions de près de trois kilos ce à quoi j'avais droit. Je n'en revenais pas. Je n'avais pas plus mangé que d'habitude au petit déjeuner — moins, même — et je n'avais pas bu une goutte d'eau parce que si je supporte parfaitement la chute libre, l'apesanteur est traîtresse. L'eau risque de vous sortir par le nez, pour ne parler que de cela, et de déclencher une réaction en chaîne assez embarrassante. J'allais me répandre en récriminations, accuser le maître-peseur d'avoir fait tourner la centrifugeuse trop vite, ce qui avait faussé le résultat, mais je songeai brusquement que je ne savais pas avec certitude si la balance dont nous nous servons, Mère et moi, était parfaitement juste. Aussi, je gardai le silence.

Oncle Tom avait déjà sorti son porte-monnaie.

— Combien vous dois-je? demanda-t-il.

— On va d'abord vous faire passer, monsieur le sénateur.

Le tonton avait près de deux kilos de moins que la tolérance. Le maître-peseur haussa les épaules.

— Bah! N'en parlons plus, monsieur le sénateur. Il y a deux ou trois bagages qui sont au-dessous du quota et je crois pouvoir me débrouiller. Sinon, je laisserai une note au commissaire de bord. Mais je suis à peu près sûr que cela pourra s'arranger.

— Je vous remercie. Rappelez-moi donc votre nom?

— Milo. Miles M. Milo, loge Aasvogel 64. Peut-être avez-vous assisté à la démonstration de notre bataillon vedette lors de la convention de la Légion, il y a deux ans? J'étais l'homme pivot du flanc gauche.

— Mais bien sûr! bien sûr! (Ils échangèrent la poignée de main secrète qu'ils se figurent que personne ne connaît et oncle Tom répéta :) Je vous remercie, Miles. Au plaisir de vous revoir.

— Mais non, mais non... Tom! Vous n'allez pas vous charger de vos bagages. (M. Milo appuya sur un bouton :) Que quelqu'un vienne en vitesse chercher les bagages du sénateur pour les embarquer à bord du *Tricorne*, s'écria-t-il.

Comme nous faisions halte à l'entrée du tunnel de transfert pour échanger nos sandales à ventouses contre de petits patins aimantés s'adaptant aux semelles, je songeai que nous avions fait le pied de grue pour rien. Oncle Tom aurait pu, s'il avait voulu, exciper des privilèges spéciaux auxquels il avait manifestement droit. Il n'aurait eu qu'un mot à dire.

Néanmoins, il est payant de voyager avec un personnage important, même si c'est seulement un oncle Tom sur le ventre duquel on jouait à dada quand on avait encore l'âge de le faire. Nos billets portaient simplement la mention première classe — j'en suis certaine : je les avais vus tous les trois — mais on nous installa dans ce qu'on appelle la « cabine de l'armateur », c'est-à-dire, ni plus ni moins, un appartement comportant trois chambres et un salon. J'étais éblouie. Mais je n'eus pas le temps de l'admirer tout de suite. D'abord, on attacha nos bagages. Ensuite, on nous attacha, nous. Sur des couchettes installées le long d'un des murs du salon. Ce mur aurait, de toute évidence, dû être le plancher, mais il s'inclinait presque à la verticale du fait de notre poids insignifiant. Les sirènes hurlaient déjà quand quelqu'un entra en remorquant Clark et le ligota à son tour sur une couchette. Il était tout ébouriffé mais cela ne l'empêchait pas de prendre un air avantageux.

— Alors, le fraudeur! lui lança allègrement oncle Tom. Ils ont trouvé ce que tu cherchais à passer en contrebande?

— Il n'y avait rien à trouver.

— C'est bien ce que je pensais. J'ai l'impression qu'ils t'ont fait passer un joyeux moment, hein?

— Beuh... non.

Je n'étais pas tellement convaincue par la réponse de Clark. Il m'était revenu qu'une fouille personnelle « jusqu'à l'os » peut être extrêmement désagréable sans enfreindre si peu que ce soit la légalité, si les délégués de la Triplanétaire sont animés de sentiments hostiles. Un « joyeux moment » serait une excellente chose pour l'âme de mon frère, j'en suis convaincue, mais, à le voir, il ne semblait pas avoir souffert de l'expérience.

— Ce que tu as dit à l'inspecteur était vraiment idiot, Clark, le réprimandai-je. Et c'était un mensonge, un mensonge stupide et ridicule.

— Laisse tomber, répliqua-t-il sèchement. Si je passe quelque chose en douce, à eux de le trouver. Ils sont payés pour ça. « Z'avez-rien-à-déclarer? » ajouta-t-il en singeant la voix du douanier. C'est grotesque! Comme si quelqu'un qui essaye de passer quelque chose en fraude allait le déclarer!

— Tout de même, si papa t'avait entendu dire...

— Podkayne!

— Oui, oncle Tom?

— Ça suffit comme ça. Nous allons partir. Ne gâchons pas le plaisir.

— Mais... Oui, oncle Tom.

La pression baissa légèrement, puis il y eut un choc soudain qui nous aurait fait glisser à bas des couchettes si nous n'avions pas été attachés. Mais cela n'avait vraiment rien de comparable avec le *whoosh* géant qui nous avait été assené au décollage de Mars. Très vite, nous nous retrouvâmes en chute libre. Au bout de quelques instants, nous ressentîmes une faible poussée dans la même direction. Elle se maintint. Et puis la pièce se mit à tourner très lentement. C'était presque imperceptible et je je ne me serais aperçue de rien si je n'avais été prise d'un vague vertige.

Progressivement (cela ne prit pas loin de vingt minutes), notre poids augmenta jusqu'à redevenir normal. A ce moment-là, le plancher, qui était complètement de guingois quand nous étions arrivés, se trouvait à sa place légitime, en dessous de nous, et il était presque horizontal. Mais pas tout à fait.

Dès que le plancher se retrouva sous nos pieds et que le signal « conditions normales » eut retenti, je débouclai mon harnais et sortis à toute vitesse de la cabine. Je voulais jeter un coup d'œil rapide sur le vaisseau et ne pris même pas le temps de défaire mes valises.

Celui qui inventera un déodorant vraiment efficace pour les astronefs fera fortune. Il est impossible de ne pas remarquer ce détail. Oh! on fait ce qu'on peut, je l'admets. A chaque recyclage, l'air passe dans des condensateurs où il est nettoyé et parfumé. On lui ajoute une dose bien précise d'ozone, et l'oxygène tout neuf qu'on introduit après que l'acide carbonique a été chassé par distillation est aussi pur que l'agneau qui vient de naître. Il ne saurait en aller autrement puisque cet oxygène n'est autre chose qu'un sous-produit de la photosynthèse de plantes vivantes. La pureté de cet air est telle qu'on devrait lui voter à l'unanimité la médaille de la Société pour la Suppression des sales Pensées. En outre, l'équipage passe un temps incroyable à récurer, à briquer, à nettoyer et à stériliser. Oh oui! On fait ce qu'on peut.

Il n'empêche que même un astronef de ligne luxueux et aux tarifs somptuaires comme le *Tricorne* est tout bonnement une infection. Ça sent la sueur humaine et les vieux péchés avec d'indéfinissables relents de décomposition organique, d'accidents malheureux et de choses qu'il est préférable d'oublier. Il m'est arrivé, un jour, d'assister avec papa à l'ouverture d'une tombe martienne et j'ai compris pourquoi les xéno-archéologues ont toujours des masques à gaz à portée de la main. Mais un astronef empeste encore plus qu'une tombe.

Inutile d'aller se plaindre auprès du commissaire. Il écoutera vos doléances avec une amabilité toute professionnelle et chargera un homme d'équipage d'asperger votre cabine avec un produit qui, je le soupçonne, n'aura pour seul effet que de paralyser quelque temps vos nerfs olfactifs. Mais sa sympathie n'est pas réelle pour la bonne raison que le pauvre homme, c'est bien simple, ne sent rien. Il ne peut pas. Il y a des années qu'il navigue et il lui est strictement impossible de déceler la puanteur, qui pourtant vous saute au nez, d'un navire habité. D'ailleurs, il a la conscience tranquille : il sait que l'air est pur. Les instruments de bord en témoignent. Un spationaute professionnel ne sent rien.

Mais le commissaire et tous les autres ont tellement l'habitude d'entendre les passagers se plaindre de l'odeur intenable qu'ils font mine de compatir et feignent de prendre des mesures.

Moi, personnellement, je ne me suis pas plainte. Mon objectif était d'en arriver à ce que tout le monde à bord me mange dans la main et, pour y parvenir, il ne faut pas commencer par avoir l'air d'être un mauvais coucheur. Mais les autres passagers néophytes, eux, protestèrent, je les comprends, d'ailleurs. A dire vrai, je commençai à avoir mes premiers doutes quant à ma vocation de futur commandant au long cours.

Mais... Bref, au bout de deux jours environ, j'eus l'impression qu'on était parvenu à améliorer les choses et je ne tardai pas à cesser de penser à ce problème.

Mais l'odeur est toujours là. J'ai l'impression qu'elle imprègne le métal poli et que la seule façon de la supprimer serait de gratter tout le navire et de le faire fondre. Grâce à Dieu, le système nerveux humain est infiniment adaptable.

Mais lors de ma première et rapide visite du *Tricorne*, mon système nerveux à moi n'avait pas l'air tellement adaptable. Heureusement que je n'avais pris qu'un petit déjeuner léger et que je n'avais pas bu. Mon estomac me fit passer à deux reprises des moments pénibles mais je lui laissai sévèrement entendre que j'étais occupée. J'avais terriblement hâte de le voir, ce navire, et n'avais pas le temps de sacrifier aux faiblesses de la chair.

Eh bien, le *Tricorne* est au delà de tout éloge. Tout est aussi joli que les dépliants publicitaires le proclament... exception faite de cette atroce odeur. La salle de bal est somptueuse; elle est si grande que l'on voit le plancher s'incurver pour épouser la courbure du navire. Toutefois, quand on la traverse, elle n'est pas incurvée du tout. Elle est horizontale, elle aussi. C'est le seul endroit du vaisseau où l'on s'est débrouillé pour que le sol soit parfaitement horizontal, quelle que soit la rotation. Il y a un salon avec, en trompe-l'œil, le ciel vu de l'espace. Grâce à une commande, ce ciel peut devenir bleu et se couvrir de nuages moutonneux. Il y avait déjà quelques vieux flambeurs qui jouaient aux cartes. La salle à manger est tout aussi luxueuse mais elle m'a paru un peu étriquée. Du coup, je me suis rappelé les avertissements de la brochure touristique en ce qui concernait le premier et le second service et je suis revenue à toute vitesse à la cabine pour presser oncle Tom de faire rapidement les réservations avant que les meilleures tables ne soient retenues.

Il n'était pas là. Je l'ai cherché dans toutes les pièces sans le trouver. Mais j'ai trouvé Clark dans ma chambre. Il était en train de refermer le couvercle d'une de mes valises! Je me suis écriée :

— Qu'est-ce que tu fais?

Il a sursauté, puis m'a regardée d'un air totalement inexpressif avant de répondre flegmatiquement :

— Je regardais seulement si tu n'avais pas des pilules contre le mal au cœur.

— Tu devrais savoir que je n'aime pas qu'on fouille dans mes affaires. (Je lui tâtai les joues. Il n'avait pas la fièvre) Eh bien, non, je n'en ai pas, mais j'ai repéré le bureau du médecin. Si ça ne va pas, je t'emmène tout de suite chez lui et il te donnera quelque chose.

Il me repoussa :

— Non, ça va bien, maintenant.

— Mon petit Clark, tu vas m'écouter. Si tu...

Mais au lieu de m'écouter, il alla s'enfermer dans sa propre chambre. J'entendis cliqueter le verrou.

Je m'approchai de la valise qu'il avait ouverte et m'aperçus que c'était précisément celle que le douanier se préparait à fouiller quand Clark avait raconté ces idioties à propos de la « poudre de vertige ».

Mon jeune frère ne fait jamais rien sans raison. Jamais. Ses raisons peuvent être — et elles le sont souvent — incompréhensibles pour autrui. Mais si l'on va au fond des choses, on constate immanquablement que son esprit n'est pas une machine qui fonctionne au hasard et opère au petit bonheur. Il est aussi logique qu'un ordinateur — et à peu près aussi insensible.

Je comprenais maintenant pourquoi il avait jugé nécessaire de faire de façon apparemment gratuite tout ce schproum à la douane. Je savais pourquoi la centrifugeuse avait trouvé que mes bagages pesaient trois kilos de trop.

La seule chose que je ne savais pas était ce qu'il avait introduit frauduleusement à bord, dans ma valise.

Et pourquoi?

INTERLUDE

Eh bien, Pod, je suis heureux de voir que tu t'es remise à tenir ton journal. Non seulement je trouve tes points de vue de petite fille réjouissants mais tu m'apportes parfois (pas très souvent) d'utiles renseignements.

Si je peux faire quelque chose pour toi en échange, ne manque pas de me le dire. Peut-être aimerais-tu que je t'aide à améliorer ta syntaxe? Ces phrases incomplètes que tu affectionnes tellement sont l'indice d'une pensée incertaine. Tu le sais, n'est-ce pas?

Considérons, par exemple, un cas purement

hypothétique : celui d'un robot de livraison muni d'un plomb inexpugnable. Etant inexpugnable, si on se contente de méditer là-dessus, il n'y a rien à faire. Mais une analyse exhaustive de la situation conduit à une conclusion évidente, à savoir que tout objet cubique ou semicubique possède six côtés et que le sceau n'intéresse qu'un seul de ses six côtés. En poursuivant cette ligne de pensée, il est loisible d'observer que, s'il est impossible de déplacer le semicube sans sectionner ses connections, le plancher sur lequel il repose peut être abaissé de quarante-huit centimètres — à condition d'avoir tout un après-midi pour travailler.

S'il ne s'agissait pas d'un cas hypothétique, je suggérerais maintenant l'emploi d'un miroir, d'une baladeuse et de quelques outils ordinaires, plus une ample provision de patience.

Voilà ce qui te manque, Pod : la patience.

J'espère que ce qui précède pourra t'éclairer en ce qui concerne certaine hypothétique poudre de vertige. Et, surtout, n'hésite pas à t'adresser à moi pour résoudre tes petits problèmes.

5

Pendant les premiers jours de la traversée, Clark laissa tout le temps la porte de sa cabine fermée à double tour. Je le sais parce que chaque fois qu'il s'absentait, j'essayais de l'ouvrir. Or, le quatrième jour, il oublia de la boucler alors qu'il allait être absent pendant une heure. C'était prévisible puisqu'il s'était inscrit pour une visite de l'astronef. Entendons-nous : une visite des parties du *Tricorne* dont l'accès était habituellement interdit aux passagers. Moi, cela m'était égal de ne pas y aller parce que, d'ores et déjà, j'avais recruté mon escorte privée « spécial Poddy ». De plus, je n'avais pas de bile à me faire pour oncle Tom. Il ne participait pas à la visite, ce qui aurait violé ses principes d'hostilité à tout exercice physique, mais il s'était fait de nouveaux amis amateurs de cartes et il était au fumoir, ce qui me laissait les mains libres.

Je ne m'étendrai pas sur les détails de ma perquisition mais je ne doute pas que le *Criminal Investigation Bureau* n'aurait pas pu la mener avec plus de logique et de célérité en ne disposant, ce qui était mon cas, que d'une paire de mains nues et sans le moindre matériel. Il devait y avoir chez Clark une quelconque des marchandises interdites inscrites sur la liste que l'on nous avait distribuée à Port Deïmos, liste que j'avais soigneusement conservée et étudiée. La masse de l'objet devait être légèrement supérieure à trois kilos. Son volume, sa forme et ses dimensions devaient être suffisamment constants pour que Clark soit obligé de le cacher dans ses bagages — sinon je suis sûre qu'il l'aurait dissimulé sur sa personne, et se serait cyniquement fié à sa jeunesse et à son « innocence », sans compter le chaperonnage d'oncle Tom, pour couper au contrôle de la douane. Autrement, il n'aurait jamais pris le risque calculé de planquer la chose dans mes affaires puisqu'il ne pouvait pas être sûr de la récupérer sans me mettre la puce à l'oreille. Aurait-il pu deviner que je me précipiterais pour jeter un coup d'œil aux environs sans prendre le temps de défaire mes bagages? Peut-être que oui, à la réflexion, bien que j'eusse agi sur l'impulsion du moment. C'est bien à contrecœur mais force m'est d'admettre que mon frère prévoit mes faits et gestes avec une affolante régularité. En tant qu'adversaire, il convient de ne jamais le sous-estimer. Mais c'était néanmoins un « risque calculé », encore que faible.

Parfait! C'était assez large, plutôt volumineux et interdit. Mais je ne savais pas ce que je cherchais et il me fallait présupposer que *tout* ce qui correspondait aux deux premières caractéristiques pouvait être camouflé et se présenter sous une apparence anodine.

Je me mis au travail...

Dix minutes plus tard, je savais que la chose était forcément dans l'une des trois valises que j'avais volontairement gardées pour la fin, considérant que c'étaient les cachettes les moins vraisemblables. Dans une cabine d'astronef, il y a une multitude de plaques d'habillage, de trous d'accès, de dispositifs amovibles, etc., mais je m'étais soigneusement entraînée sur ma propre chambre. Je savais quelles étaient les cavités intéressantes à ouvrir, celles que l'on ne pouvait ouvrir sans matériel spécialisé, celles que l'on ne pouvait ouvrir sans laisser de traces d'effraction. Je vérifiai tout cela rapidement et félicitai Clark d'avoir eu le bon sens de ne pas jeter son dévolu sur des caches aussi patentes.

Je me mis alors en devoir d'inspecter tout ce qui était facilement accessible (les objets en évidence, la penderie, etc. — selon la technique classique de *La Lettre Volée*). Autrement dit, je me refusai systématiquement à penser qu'un livre et qu'une veste accrochée à un portemanteau n'était qu'une veste accrochée à un portemanteau et rien de plus.

Résultat nul. Négatif. Tintin! Je m'attaquai alors sans enthousiasme aux trois valises, non sans noter avec soin et au préalable comment et dans quel ordre elles étaient empilées.

La première était vide. Evidemment, on aurait pu trafiquer les garnitures intérieures mais elle n'était pas plus lourde qu'elle ne devait l'être et, de toute façon, il aurait été impossible de dissimuler dans une fente de la doublure un objet de la taille de celui que je cherchais.

Idem pour la seconde valise. Apparemment, ça allait être la même chose pour la dernière, celle du dessous. Or, je trouvai une enveloppe dans une pochette. Rien d'assez volumineux ni d'assez gros, bien sûr. Rien qu'une banale enveloppe destinée à contenir une lettre. J'y jetai néanmoins un coup d'œil.

Et l'indignation s'empara aussitôt de moi.

La suscription était la suivante :

MADEMOISELLE PODKAYNE FRIES
PASSAGÈRE DU S.S. TRICORNE

à remettre à bord

L'horrible petit salaud! Il avait intercepté mon courrier! Sous l'empire de la rage qui m'habitait, mes doigts tremblaient tellement que j'eus toutes les peines du monde à ouvrir l'enveloppe — pour m'apercevoir qu'elle était déjà ouverte — ce qui ne fit qu'attiser ma colère. En tout cas, la lettre était dedans. Je la sortis. Il n'y avait que six mots :

Salut, Pod. Alors, on fouine encore?

L'écriture était celle de Clark.

Je restai un bon moment figée sur place, les joues cramoisies. Il fallait me rendre à la triste évidence : j'avais été admirablement mystifiée — une fois de plus! Il n'y a que trois personnes au monde qui sont capables de me donner l'impression que je suis une gourde — et Clark est à lui tout seul deux de ces personnes.

Un toussotement me fit me retourner : mon frère était nonchalamment accoté au chambranle de la porte béante (que j'avais laissée fermée).

— Bonjour, frangine, me dit-il en souriant. Tu cherches quelque chose? Tu as besoin d'un coup de main?

Ce n'était pas le moment de prétendre que je n'étais pas barbouillée de confiture. Je me contentai de répondre :

— Clark Fries, qu'as-tu introduit en douce sur ce navire en te servant de ma valise?

Il me décocha un regard ahuri, ce regard de venimeuse imbécillité qui, le fait est notoire, conduit pas mal de professeurs bien équilibrés chez le médecin.

— Que diable racontes-tu, Pod?

— Tu le sais très bien! Tu fais de la contrebande!

— Oh! (Un sourire radieux s'épanouit sur ses traits :) C'est à ces deux kilos de poudre de vertige que tu fais allusion. Bonté divine! Ça te tracasse encore? Ces deux kilos de schnouf n'ont jamais existé. Je me suis simplement payé la tête de cet inspecteur mal embouché. Je croyais que tu avais compris.

— Je ne fais pas allusion à « deux kilos de poudre de vertige » mais à au moins trois kilos d'autre chose que tu as fourré dans mes bagages!

Il parut soudain soucieux.

— Est-ce que tu te sens bien, Pod?

— Ooooooh! Crottes du nez! N'insiste pas, Clark! Tu sais très bien ce que je veux dire. Quand je suis passée à la centrifugeuse, je pesais, bagages compris, trois kilos en excédent. Alors?

Il me dévisagea d'un air tout à la fois songeur et apitoyé.

— Je pensais bien que tu t'empâtais. Mais je n'ai pas voulu t'en parler. J'ai mis ça sur le compte de la nourriture trop riche dont tu t'empiffres depuis qu'on est à bord. Franchement, Pod, tu devrais te surveiller. Après tout, une fille qui laisse sa silhouette aller à vau-l'eau... eh bien, il ne lui reste plus grand-chose, si je suis bien informé.

Si cette enveloppe avait été un instrument contondant, je l'aurais contondé! Je me rendis brusquement compte que c'était moi qui exhalais le sourd grondement que j'entendais. Je me tus.

— Alors, où est la lettre qui se trouvait dans cette enveloppe?

Il sembla tomber de son haut.

— Mais, elle est là... dans ton autre main.

— Ça? C'est tout ce qu'il y avait? Pas une lettre de quelqu'un d'autre?

— Eh non, juste cette missive de moi, frangine. Elle ne t'a pas plu? J'ai pensé qu'elle
conviendrait admirablement à la situation. Je
savais que tu la trouverais à la première occasion. (Il sourit :) La prochaine fois que tu voudras farfouiller dans mes affaires, préviens-moi
et je te faciliterai la besogne. Il m'arrive parfois
d'avoir des expériences en cours et tu risquerais
de te blesser. C'est ce qui se produit quand les
gens ne sont pas très intelligents et ne regardent
pas où ils mettent les pieds. Je ne voudrais surtout pas que tu en aies à pâtir, *toi*.

M'abstenant de répondre, je passai devant
lui, rentrai dans ma chambre, fermai la porte à
clé et me mis à hurler. Ensuite de quoi, je me
relevai et me retapai la façade avec le plus grand
soin. Je sais quand je suis roulée. Inutile qu'on
me fasse un dessin. Je pris la décision de ne plus
jamais reparler de cette affaire à Clark.

Mais que faire? Aller voir le commandant?
Je le connaissais déjà fort bien : son imagination allait jusqu'à la prochaine prévision balistique mais pas plus loin. Lui expliquer que mon
frère avait clandestinement sorti quelque chose,
j'ignorais quoi, et qu'il avait tout intérêt à passer
le vaisseau tout entier au peigne fin parce que le
quelque chose en question, quelle qu'en fût la
nature, n'était pas dans la chambre de mon
frère? Ne sois pas une triple imbécile, Poddy.
Primo, le commandant te rirait au nez. Secun-
do, tu ne veux pas que Clark se fasse prendre —
papa et maman ne seraient pas contents.

Alors? Expliquer cela à oncle Tom? Peut-être
ne me croirait-il pas davantage. Et, s'il me
croyait, peut-être qu'il s'adresserait lui-même

au commandant et le résultat serait tout aussi désastreux.

Je décidai de laisser oncle Tom en dehors de ça — pour le moment, tout au moins. Et d'ouvrir tout grands mes yeux et mes oreilles pour essayer de découvrir moi-même de quoi il retournait.

Toujours est-il que je ne gaspillai guère de temps à méditer sur les péchés de Clark (je serai franche : je doute d'y avoir consacré un seul instant). C'était la première fois que j'étais dans un vrai astronef, ce qui représentait, en fait, la moitié de mes ambitions, et j'avais beaucoup à apprendre et beaucoup à faire.

Je ne dirai pas que les dépliants touristiques mentent mais, quand même, ils ne donnent qu'une idée approximative de la réalité. Prenez, par exemple, la phrase suivante que j'extrais de la luxueuse brochure de la Ligne du Triangle : ... *séjour romantique dans l'antique Marsopolis, la cité plus ancienne que le temps. Nuits exotiques sous les lunes de Mars qui se poursuivent...*

Voulez-vous que nous traduisions cela dans la langue de tout le monde? Je suis née sur Marsopolis et je l'aime mais elle est à peu près aussi romantique qu'une tartine de pain beurré sans confiture. Les quartiers résidentiels sont neufs et ils ont été conçus d'un point de vue fonctionnel, pas romantique. Quant aux ruines qui se trouvent à l'extérieur de la ville (que les Martiens n'ont jamais appelée « Marsopolis »), toute une armée d'intellectuels de choc, dont mon père, ont fait en sorte que les sites les plus intéressants soient interdits d'accès afin que les touristes n'aillent pas graver leurs initiales sur des vestiges qui étaient déjà d'un âge vénérable à l'époque où la hache de pierre était encore l'arme la plus moderne et la plus sophistiquée. J'ajouterai que, pour l'observateur humain, les ruines martiennes ne sont ni belles, ni pittoresques, ni impressionnantes. La seule façon de les apprécier à leur juste valeur, c'est de lire un bon livre bien illustré avec des diagrammes et des explications simples — comme *D'autres routes que la nôtre*, qu'a publié papa. (Ce qui précède est de la publicité.)

Et parlons de ces nuits exotiques! Quiconque, sur Mars, se promène en plein air après la nuit tombée si ce n'est pas absolument nécessaire doit d'urgence voir un docteur — un psychiatre, de préférence. C'est qu'il fait un froid de canard! Pour ma part, j'ai eu exactement deux fois l'occasion de voir Deïmos et Phobos la nuit, et je vous prie de croire que ce n'était pas ma faute. Et j'étais tellement occupée à faire l'impossible pour ne pas geler sur place que je n'ai pas accordé une seule pensée aux « lunes qui se poursuivent ».

La publicité concernant les astronefs euxmêmes est d'une précision tout aussi méticuleuse et, en fait, tout aussi fallacieuse. Oh! le *Tricorne* est un palace, je n'en disconviens pas. C'est vraiment un miracle d'ingénierie que quelque chose d'aussi énorme, d'aussi luxueux, d'aussi incroyablement adapté à la santé et au bien-être des êtres humains soit capable de gambader dans l'espace.

Mais ces photos! Vous voyez celles auxquelles

je fais allusion? Tout en couleurs et en relief, montrant des groupes de charmants jeunes gens des deux sexes en train de bavarder, de jouer à des jeux de société au salon, de danser joyeusement dans la salle de bal — ou des vues de la « suite type ».

La « suite type » n'est pas une invention. Non. Simplement, on l'a photographiée en utilisant un objectif et selon un angle tel qu'elle paraît deux fois plus grande qu'elle ne l'est en réalité. Quant aux charmants jeunes gens débordant de gaieté... une chose est sûre : pour ce voyage-là, il n'y en a pas un seul à bord. A mon avis, il s'agit de modèles professionnels.

Les charmants jeunes gens semblables à ceux de ces photos, on peut les compter sur un seul doigt d'une seule main. Le passager type que nous avons à bord du *Tricorne* est une arrière-grand-mère de nationalité terrienne, veuve, riche et qui fait probablement son premier voyage spatial — ce sera probablement le dernier car elle n'a pas tellement l'air d'apprécier.

Je vous jure que je n'exagère pas. Mes compagnons de voyage ressemblent à des évadés d'une clinique de gérontologie. Personnellement, je n'ai rien contre la vieillesse. J'ai conscience que c'est une condition que je connaîtrai moi-même un jour si je respire le nombre de fois requis. Quelque chose comme neuf cents millions d'inspirations, sans compter les périodes d'exercice physique poussé. Il y a des vieilles gens adorables — témoin l'oncle Tom — mais vieillir n'est pas un exploit. C'est quelque chose qui vous arrive malgré vous. Comme de dégringoler dans un escalier. Et je dirai que je commence à en avoir un peu assez de voir traiter les jeunes comme si la jeunesse était un crime passible des tribunaux.

Les passagers masculins typiques sont du même acabit, sauf qu'ils sont beaucoup moins nombreux. Le passager mâle type se distingue essentiellement de son épouse en ceci que, au lieu de me toiser de tout son haut, il aurait parfois tendance à me tapoter « paternellement » la joue d'une façon que je ne trouve nullement paternelle, que je n'aime pas et que j'évite dans toute la mesure du possible. Ce qui n'empêche pas que ça fait jaser.

Sans doute n'aurais-je pas dû être surprise de constater que le *Tricorne* est une espèce d'asile de vieillards de grand luxe mais (autant l'admettre) mon expérience est encore limitée et certaines réalités économiques, il faut l'avouer, m'échappent.

Le *Tricorne* est cher. Excessivement cher. Nous n'y aurions jamais mis les pieds, Clark et moi, si oncle Tom n'avait pas forcé la main du Dr Schoenstein. Certes, je présume qu'oncle Tom peut se permettre cette fantaisie mais il appartient par son groupe d'âge, sinon par son tempérament, à la catégorie de gens qui sont à leur place à bord du *Tricorne*. L'idée de papa et de maman avait été de nous faire prendre le *Wanderlust*, un cargo mixte bon marché, à orbites économiques. Mes parents ne sont pas pauvres mais ils ne sont pas riches — et quand ils auront fini d'élever et d'éduquer cinq enfants, il est peu vraisemblable qu'ils le soient un jour.

Qui peut se permettre de voyager dans des astronefs de luxe? Réponse : les vieilles veuves fortunées, les couples à la retraite qui ont du foin dans les bottes, et des cadres supérieurs hautement estimés dont le temps est si précieux que c'est avec joie que leur société les expédie par les vaisseaux les plus rapides.

Des exceptions comme Clark et moi. Il y en avait d'ailleurs une autre, une certaine Mlle... je l'appellerai Mlle Girdie Fitz-Snugglie car, si j'indiquais son véritable nom et si, par hasard, quelqu'un lisait jamais ces lignes, il serait trop facile de l'identifier. En ce qui me concerne, j'estime que Girdie est une brave fille et je me moque des potins qui circulent à bord. Elle n'a pas l'air d'être jalouse de moi bien que, semble-t-il, tous les jeunes officiers du *Tricorne* eussent été sa propriété personnelle jusqu'au moment où j'avais embarqué. Depuis que le *Tricorne* avait quitté la Terre, autrement dit. J'ai quelque peu mis à mal son monopole mais elle ne me manifeste aucune acrimonie. Elle me traite amicalement, de femme à femme, et elle m'a appris beaucoup de choses sur la Vie et sur les Hommes. Beaucoup plus que ne m'en a jamais appris ma mère.

Girdie a à peu près le double de mon âge, ce qui fait qu'elle est follement jeune par rapport à la compagnie environnante. C'est peut-être pour cela que, par contraste avec moi, on remarque des rides très fines autour de ses yeux. En revanche, comparée à mon physique quelque peu inachevé, sa silhouette aux rondeurs plus pleines accuse davantage son air Hélène de Troie. Une chose est sûre, en tout cas : ma présence a atténué la pression qui s'exerçait sur elle car, maintenant, les commères ont deux cibles au lieu d'une. Et les potins vont leur train. J'ai entendu quelqu'un dire de Girdie : « Elle est passée par plus de genoux qu'une serviette. »

Si c'est vrai, j'espère qu'elle s'est bien amusée.

Et les joyeux bals dans la monstrueuse salle de danse! Ils ont lieu tous les mardis et tous les samedis quand le *Tricorne* est dans l'espace. L'orchestre démarre à 20 h 30 et ces dames de la Société pour la Rectitude Morale sont assises en rangs d'oignons autour de la piste comme pour une veillée funèbre. Oncle Tom est présent — c'est une concession qu'il me fait — et il a l'air superbe et distingué en habit de soirée. Ma robe du soir n'est plus tout à fait aussi petite fille modèle que lorsque Mère m'a aidée à la choisir, suite à quelques retouches que j'ai opérées avec le plus grand soin, toutes portes closes. Clark lui-même assiste aux festivités parce qu'il n'y a rien d'autre à faire et qu'il ne voudrait surtout pas rater quelque chose. Et il est si mignon que je suis fière de lui — parce qu'il est obligé de se mettre en grande tenue, sans quoi, pas question d'entrer. Une demi-douzaine de jeunes officiers en uniforme de gala sont agglutinés autour du saladier de punch, l'air vaguement gêné.

Le commandant, utilisant un procédé de sélection dont il est seul à connaître le secret, invite l'une des veuves. Deux époux dansent avec leurs conjointes. Oncle Tom m'offre son bras. Deux ou trois jeunes officiers suivent l'exemple du commandant. Clark, profitant de la surexcitation ambiante, lance un raid sur le punch.

Mais *personne* n'invite Girdie à danser.

Ce n'est pas le fait du hasard. Le commandant a donné pour consigne (je le sais de façon absolument assurée grâce à mes espions!) qu'aucun officier n'est autorisé à inviter Miss Fitz-Snugglie s'il n'a pas déjà dansé au moins deux fois avec d'autres cavalières — et je ne suis pas une « autre cavalière » parce que, depuis que nous avons quitté Mars, cette mesure de proscription s'étend également à moi.

Cela devrait convaincre tout un chacun qu'un commandant de bord est, en un mot comme en cent, le dernier des monarques absolus.

Il y a maintenant six ou sept couples qui dansent et la rigolade est à son comble. Il n'y aura jamais davantage de monde sur la piste. Néanmoins, neuf chaises sur dix sont encore occupées et on pourrait en faire le tour à bicyclette sans aucun risque pour les danseurs. On dirait que les spectatrices tricotent dans des charrettes. Il ne manque qu'une guillotine au milieu du désert de la piste.

La musique s'arrête. Oncle Tom me reconduit et invite Girdie — comme c'est un client payant, le commandant s'est abstenu de le chapitrer. Mais moi, je suis toujours interdite de danse. Alors, je m'approche du saladier de punch, prends la coupe de Clark, la termine et dis :

— Viens. Tu vas t'entraîner avec moi.

— Tu es folle? C'est une valse! (Ou un fox-trot ou un kake-walk ou un paso doble — mais, en tout cas, un pas absolument impossible.)

— Invite-moi sinon je dis à Mme Grew que tu veux danser avec elle, mais que tu es trop timide pour l'inviter.

— Si tu fais ça, je lui flanquerai un croche-pied. Je trébucherai et je la ferai tomber.

Cependant, il faiblit et je pousse mon avantage :

— Ecoute-moi, Clark. De deux choses l'une : ou bien tu me fais danser un peu, ou bien je me débrouillerai pour que Girdie ne danse pas une seule fois avec toi.

Et l'affaire est dans le sac. Clark est en effet dans les affres des premières amours enfantines et Girdie est si bien élevée qu'elle le traite en égal et accepte ses attentions avec une chaleureuse courtoisie. Du coup, il m'invite. En réalité, c'est un très bon danseur et c'est à peine si je dois le guider une fois de temps en temps. Il aime la danse mais il tient à ce que personne, moi en particulier, n'aille penser qu'il aime danser avec sa sœur. Nous ne sommes pas trop mal assortis parce que je suis petite. Pendant ce temps, Girdie fait preuve d'une gentillesse exemplaire à l'égard d'oncle Tom, ce qui est un exploit car si le tonton manifeste le plus grand enthousiasme, il n'a aucun rythme. Mais Girdie est capable de suivre n'importe qui. Si son partenaire se casse la jambe, elle s'en cassera une aussi sec pour le suivre. Maintenant, la foule s'amenuise. Les maris qui se sont sacrifiés sont trop fatigués pour une seconde danse et personne ne les a relayés.

Oh! C'est qu'on a de joyeux moments à bord de l'astronef de luxe *Tricorne!*

Sérieusement, il y en a. A partir de la troisième danse, nous n'avons plus qu'à faire notre choix, Girdie et moi, parmi les jeunes officiers dont la plupart sont bons danseurs ou qui, au moins, ont beaucoup de pratique. Le commandant va se coucher vers 22 heures. Peu après, les chaperons commencent à ranger leurs aiguilles et s'éclipsent tour à tour. A minuit, il ne reste plus que Girdie, moi, une demi-douzaine de jeunes officiers — les plus jeunes — et le commissaire qui a consciencieusement invité toutes les dames et qui estime avoir le droit de passer agréablement le reste de la soirée. Il danse très bien, pour un vieux.

Au fait, en général, il y a aussi Mme Grew. Mais elle n'appartient pas à la catégorie des chaperons et elle est toujours aimable avec Girdie. C'est une vieille dame obèse pleine de péchés et de gloussements sous cape. Elle ne se fait pas d'illusions : il n'est pas question que qui que ce soit l'invite à danser mais elle aime regarder et les officiers, quand ils ne dansent pas, apprécient sa conversation. Elle est drôle.

Vers 1 heure, oncle Tom envoie Clark me dire d'aller me coucher sinon il fermera ma porte à clé. Il n'en ferait rien mais j'obéis : j'ai mal aux pieds.

Ce bon vieux *Tricorne!*

6

Le commandant augmente lentement la vitesse de rotation du bâtiment pour que la gravité artificielle corresponde à la pesanteur sur Vénus, soit 84 % du g standard. Autrement dit, deux fois plus que celle à laquelle j'ai toujours été accoutumée. Aussi, quand je ne suis pas en train d'étudier l'astronavigation ou l'art du pilotage, je passe le plus clair de mon temps au gymnase afin de me cuirasser en vue de l'avenir car je n'ai pas l'intention d'être handicapée sur Vénus, ni sur le plan de la force musculaire ni sur celui de l'agilité. Si je peux m'adapter à une accélération de 0,84 g, mon ajustement ultérieur à la gravité terrienne de 1 g standard, ce sera de la nougatine. Telle est du moins mon opinion.

Généralement, j'ai le gymnase pour moi toute seule. La plupart des passagers originaires de la Terre ou de Vénus n'ont pas besoin de se préparer à une forte pesanteur. Quant aux gens de Mars, il y en a une douzaine, et je suis apparemment la seule qui prenne au sérieux l'épreuve à venir. Les non-humains, qui ne sont qu'une poignée, nous ne les voyons jamais. Chacun d'eux reste cloîtré dans sa cabine spécialement conditionnée. Les officiers, eux, utilisent le gymnase et certains ont vraiment un culte fanatique de la forme physique, mais ils s'y rendent surtout aux heures où il y a peu de chance d'y rencontrer des passagers.

Donc, ce jour-là (c'était le 13 cérès, en fait, mais, à bord du *Tricorne*, on se réfère au calendrier terrien et c'était par conséquent le 9 mars — ce système de datation bizarroïde ne me gêne pas, mais la brièveté du jour terrestre me prive d'une demi-heure de sommeil toutes les nuits) le 13 cérès, donc, je me précipitai comme un bolide dans le gymnase, tellement furieuse que c'était tout juste si je ne crachais pas du venin, dans la double intention d'épuiser ma fureur (en évitant, tout au moins, de me faire jeter aux fers pour agression et voies de faits) et d'endurcir ma musculature.

Et sur qui est-ce que je tombe? Sur Clark en petite culotte, un gros haltère à bout de bras.

Je m'arrêtai net et balbutiai :

— Qu'est-ce que tu fais ici, toi?

— Je me ramollis l'esprit, grommela-t-il.

Evidemment, je l'avais cherché. Rien dans le règlement intérieur du navire n'interdit à Clark d'utiliser le gymnase. Mais sa réponse avait un sens pour quelqu'un d'habitué à sa logique tortueuse, ce qui devait certainement être mon cas. Je me débarrassai de ma robe, commençai quelques exercices d'assouplissement pour m'échauffer et m'empressai de changer de sujet :

— Quelle masse? demandai-je.

— Soixante kilos.

Je fis un rapide calcul — c'était comme de soulever quatre-vingt-cinq kilos sur Mars.

— Alors, pourquoi es-tu en sueur?

— Je ne suis pas en sueur! (Il posa son haltère :) Essaye de la soulever pour voir!

— D'accord.

Il recula, je m'accroupis pour empoigner l'haltère... et changeai d'avis.

Croyez-moi, j'arrache régulièrement mes quatre-vingt-dix kilos à la maison, je charge le même haltère pour obtenir le poids auquel je suis habituée et, chaque jour, j'y rajoute une petite surcharge. Mon objectif (je commence à me demander s'il n'est pas irréalisable) est de finir par être capable de soulever sur Vénus la même masse que je soulève sur Mars.

Aussi étais-je sûre de pouvoir soulever soixante kilos sous 0,52 g standard.

Mais il n'est pas conseillé pour une fille de battre un garçon dans une épreuve de force physique, même s'il s'agit de son propre frère. Tout particulièrement quand c'est votre propre frère, un frère infernal et que vous apercevez brusquement un moyen de tirer profit de ses tendances diaboliques. Je crois l'avoir déjà dit, quand on est d'humeur à haïr quelqu'un ou quelque chose, Clark est l'associé parfait.

Aussi, poussant des grognements et faisant saillir mes muscles, je me livrai à une assez jolie comédie. Je fis un épaulé, amorçai un développé — et piaillai :

— Viens m'aider!

Clark arriva à la rescousse, exerça une poussée d'une seule main au centre de la barre et nous y arrivâmes.

— Attrape-la, murmurai-je les dents serrées. (Il reposa l'engin. Je poussai un soupir :) Tu deviens terriblement fort, Clark.

— Je ne me défends pas mal.

Ça marchait! Clark était maintenant aussi débonnaire que sa nature le lui permettait. Je suggérai un petit coup de pyramide humaine — s'il ne voyait pas d'inconvénient à jouer les hommes de base? Parce que je n'étais pas sûre de pouvoir le soutenir sous 0,52 g... Vraiment, il n'y voyait pas d'inconvénient?

Non, il n'en voyait aucun. C'était une nouvelle occasion de faire étalage de sa musculature et de sa virilité. Et j'étais sûre et certaine qu'il était capable de me soulever. Je faisais onze kilos de moins que l'haltère qu'il venait d'arracher.

Quand il était petit, on pratiquait souvent ce genre d'acrobatie — c'était un bon moyen de le faire tenir tranquille quand je devais m'occuper de lui. A présent qu'il est aussi grand que moi (et plus costaud, j'en ai peur), il nous arrive encore de faire la pyramide sur le terrain de jeux — chez nous, je veux dire. Chacun grimpe sur l'autre à tour de rôle. Mais maintenant que je pesais à peu près deux fois moins, je ne voulais pas me risquer à faire des fantaisies.

Quand il me maintint en l'air à bout de bras, j'attaquai :

— Est-ce que tu as des sentiments d'amitié particuliers envers Mme Royer, Clark?

— Elle? (Il eut un reniflement de mépris suivi d'une interjection de bas étage :) Pourquoi?

— Simple question que je me posais. Elle... mais je ne devrais peut-être pas répéter ça.

— Dis-donc, Pod, est-ce que tu as envie que je te laisse accrochée au plafond?

— Tu ne ferais pas une chose pareille!

— Alors, quand tu commences une phrase, va jusqu'au bout.

— D'accord. Mais ne bouge pas... Laisse-moi poser mes pieds sur tes épaules.

Il me laissa faire et je sautai. L'ennui, avec la haute accélération, ce n'est pas tellement ce qu'on pèse, encore que ce ne soit pas tellement drôle, c'est la rapidité de la chute — et je soupçonnais Clark d'être tout à fait capable de me laisser poireauter la tête en bas à mi-chemin du plancher et du plafond s'il avait une dent contre moi.

— Alors, qu'est-ce qu'elle a fait, Mme Royer?

— Oh! Pas grand-chose. Elle trouve que les

gens de Mars, c'est de la racaille. Voilà tout.

— Vraiment? Eh bien, la réciproque est vraie.

— Oui. Elle estime qu'il est scandaleux que la compagnie nous autorise à voyager en première et que le commandant devrait nous interdire de prendre nos repas dans la même salle à manger que les gens bien.

— Et quoi encore?

— Rien de plus. Nous sommes le rebut de la société... tous des bagnards. Tu vois...

— Intéressant. Très, très intéressant.

— Et son amie, Mme Garcia, est du même avis. Mais je ne devrais peut-être pas le répéter. Après tout, elles ont le droit d'avoir leur opinion, n'est-ce pas?

Clark ne répondit pas, ce qui est un très mauvais signe. Peu après, nous nous séparâmes sans ajouter un mot. Brusquement saisie de panique à l'idée que j'avais peut-être mis en marche un processus plus grave que prévu, je rappelai Clark mais il continua son chemin. Il n'est pas dur d'oreille mais, parfois, il entend très mal.

Enfin, maintenant, il était trop tard. Aussi me contentai-je d'enfiler un harnais de masse que je chargeai jusqu'à ce que je pèse autant que je pèserais sur Vénus et je me mis à faire de la course à pied sur la bande sans fin jusqu'au moment où, dégoulinante de sueur, je fus mûre pour un bain. Après, il ne me restait plus qu'à me changer.

En fait, je me moquais éperdument des ennuis qui pourraient survenir à ces deux harpies. J'espérais seulement que l'adresse de Clark serait digne de sa réputation de sorte qu'il serait impossible de l'incriminer. Ni même qu'on puisse soupçonner une intervention de sa part. Car je ne lui avais pas dit la moitié de ce que j'avais entendu.

Croyez-moi, je n'avais jamais imaginé avant d'avoir mis les pieds sur le *Tricorne* que l'on puisse mépriser une personne uniquement à cause de ses ancêtres ou de l'endroit où elle vit. Certes, j'avais déjà rencontré des touristes venant de la Terre dont les manières laissaient quelque peu à désirer mais papa m'avait expliqué que les touristes sont partout antipathiques uniquement parce que ce sont des étrangers qui ignorent les coutumes locales. Et je l'avais cru parce que papa ne se trompe jamais. De fait, les universitaires en visite qu'il invitait parfois à dîner à la maison étaient toujours charmants, preuve que les hommes de la Terre ne sont pas nécessairement des gens mal embouchés.

Dès l'embarquement, j'avais remarqué que les passagers du *Tricorne* semblaient distants, mais cela ne m'avait pas tracassée outre mesure. Après tout, il est rare que des inconnus se jettent à votre cou pour vous embrasser, même sur Mars — et nous autres, gens de Mars, sommes, je suppose, sans cérémonie. Nous constituons encore une société frontière. De plus, la plupart des passagers étaient à bord depuis la Terre. Ils avaient déjà noué des amitiés, formé des coteries. Nous étions comme des nouveaux qui arrivent à l'école, le jour de la rentrée.

Mais je disais « bonjour » à tous les gens que je rencontrais dans les coursives et si on ne me répondait pas, je mettais ça sur le compte de la surdité — et, manifestement, il y avait une foule de sourds. N'importe comment, faire co-

pain-copain avec les passagers ne me passion-
nait pas tellement. Ce qui m'intéressait, c'était
d'être en bons termes avec les officiers, surtout
les pilotes, histoire d'acquérir un peu d'expérience pratique qui viendrait en renfort de ce
que mes lectures m'avaient appris. Il n'est pas
facile, pour une fille, d'être admise à l'école des
pilotes. Il faut être quatre fois meilleure que les
candidats masculins — et on ne doit rien négli-
ger : tout peut servir.

D'entrée de jeu, j'eus une ouverture formidable. Je n'ai pas la prétention de croire que
« Mlle Podkayne Fries, de Marsopolis » est une
mention qui a de quoi vous époustoufler quand
on examine la liste des passagers (mais vous
verrez dans dix ans!) alors qu'oncle Tom, s'il
n'est pour moi qu'un amateur de cartes et un
vieux parent sympathique, est néanmoins le doyen
des sénateurs de la République. L'agent général
de la ligne du Triangle pour Marsopolis le connaît, indiscutablement, et il s'est débrouillé pour
que le commissaire du bord sache de qui il s'agissait, à supposer que ce fût nécessaire.

Je ne suis pas du genre à mépriser les cadeaux qui vous tombent du ciel, quelle que soit
la manière dont ils arrivent. Dès le premier repas, je me suis mise à travailler au corps le
commandant Darling. Parce que c'est son nom :
Barrington Babcock Darling. Je me demande si
sa femme l'appelle « Baby Darling »?

Mais, naturellement, un commandant de bord
n'a pas de nom : c'est le « commandant », « le
patron », « le pacha » ou « le vieux » quand un
membre de l'équipage fait allusion à lui en
dehors de son auguste présence. Mais un nom,

jamais. Ce n'est qu'une entité majestueuse, symbole d'une autorité impersonnelle. (Je me pose une question : est-ce qu'on m'appellera un jour « la vieille » quand je serai hors de portée d'oreille? C'est drôle, mais ça ne sonne pas de la même façon.)

Mais, avec moi, le commandant Darling n'est ni trop majestueux ni trop impersonnel. Et je me suis employée à lui fourrer dans la tête l'idée que j'étais tout ce qu'il y a de gentille, encore plus jeune que je ne le suis, terriblement impressionnée par lui, terrorisée même... et pas tellement maligne. Il est maladroit de laisser un individu mâle, quel que soit son âge, comprendre du premier coup qu'on a de la jugeote. Une femme intelligente, ça inquiète les hommes et ça les met mal à l'aise. Comme César qui avait peur de ce Cassius « maigre et l'air affamé ». L'important, c'est de vous faire d'emblée un allié solide quand vous êtes en présence d'un homme. Ensuite, aucun inconvénient à lui faire progressivement comprendre que, question de matière grise, vous êtes parée. Il arrive même qu'il pense inconsciemment que c'est parce que vous vous êtes frottée à lui.

J'ai donc fait de mon mieux pour qu'il soit au désespoir que je ne sois pas sa fille (heureusement, il n'a que des fils) et, avant la fin du repas, je lui avais avoué que ma grande ambition était d'être admise comme élève pilote. Bien entendu, je n'avais pas fait la moindre allusion à mes autres aspirations.

Oncle Tom et Clark comprenaient parfaitement où je voulais en venir. Mais pas question que le tonton me trahisse. Quant à mon frère, il arborait une expression ennuyée et dédaigneuse, et ne disait rien. Parce que Clark ne prendrait pas la peine d'intervenir le jour de la bataille de l'Armageddon s'il n'a pas une commission de 10 %. Cela étant dit, je me moque de ce que mes proches peuvent penser de ma tactique : elle marche. Manifestement, le commandant Darling trouvait ma grandiose et « impossible » ambition amusante mais il me proposa de me faire visiter le poste de pilotage.

Premier round à Poddy, aux points.

Je suis à présent la mascotte officielle du bâtiment. J'ai librement accès au poste de pilotage et je bénéficie presque du même privilège en ce qui concerne la section ingénierie. Naturellement, il n'est pas dans les intentions du commandant de passer des heures à m'apprendre les éléments pratiques de l'astronavigation. Il m'a conduit au poste de pilotage et m'a fourni des explications du niveau du jardin d'enfants — que j'écoutais en écarquillant les yeux — mais son intérêt à mon égard est purement et simplement mondain. Au fond, il aimerait bien me prendre sur ses genoux (mais c'est un homme beaucoup trop pratique et réservé pour se conduire ainsi!), alors je le laisse faire en m'efforçant de conserver des relations mondaines avec lui, et j'écoute avec des mines de petit chat effaré les anecdotes qu'il me sert en m'abreuvant de thé. Je suis douée pour écouter parce qu'on ne sait jamais si on ne va pas apprendre quelque chose d'intéressant et, pour que les hommes vous trouvent « charmante », la seule chose à faire est de les écouter causer.

Seulement, le commandant Darling n'est pas

le seul astronavigateur du navire. Il m'a ouvert le poste de pilotage — et je me suis chargée du reste.

Le commandant en second, M. Savvonavong, est tout simplement ébahi par mes dons mathématiques. Il se figurait qu'il m'apprenait les équations différentielles. Certes, il m'a appris des choses quand on en est arrivé à ces équations affreusement compliquées dont on se sert pour corriger le vecteur d'un vaisseau à poussée constante mais si je n'avais pas travaillé d'arrache-pied pendant le dernier semestre et si je n'avais pas suivi les leçons complémentaires, je n'aurais pas compris de quoi il parlait. Maintenant, il m'enseigne l'art et la manière de programmer un ordinateur balistique.

Le troisième officier, M. Clancy, est encore en train de préparer sa licence illimitée de sorte qu'il a toutes les bandes pédagogiques et tous les ouvrages de référence dont j'ai besoin. Il est tout ce qu'il y a de serviable. Il est suffisamment proche de mon âge pour avoir les mains baladeuses mais il faut être vraiment stupide pour faire du gringue à une fille à moins que celle-ci ne s'arrange pour lui faire comprendre qu'elle est consentante. Or, M. Clancy n'est pas stupide et je fais très attention à éviter tout malentendu. Il est possible que je l'embrasse un jour — deux minutes avant de débarquer et pour la dernière fois. Pas avant.

Tout le monde est vraiment plein d'attentions et mon sérieux les impressionne tous. Ils trouvent ça « charmant ». Mais, à dire vrai, je n'avais jamais imaginé que l'astronavigation pratique soit aussi compliquée.

J'avais deviné que l'animosité que je percevais et que je ne pouvais manquer de remarquer malgré mes « bonjour » guillerets venait en partie de ce que nous étions à la table du commandant. Certes, il est précisé dans la brochure *Bienvenue à bord du Tricorne* placée dans chaque cabine, et précisé de façon non équivoque, qu'un nouveau plan de table est établi chaque fois qu'on relâche et que la tradition veut que de nouveaux passagers relayent les anciens. J'imagine toutefois que, en dépit de cet avertissement, on n'éprouve aucun plaisir à être évincé. Pour ma part, je ne serais pas du tout contente d'être vidée de la table du commandant après l'escale de Vénus.

Mais ce n'est là qu'un aspect des choses...

Seules trois passagères étaient réellement aimables avec moi : Mme Grew, Girdie et Mme Royer. Mme Royer était la première avec qui j'avais fait connaissance et j'ai tout de suite pensé que je l'aimerais. Que je l'aimerais en m'ennuyant parce qu'elle était terriblement gentille et que j'ai une remarquable capacité à supporter l'ennui pour arriver à mes fins. Je l'avais rencontrée dans le salon le premier jour et mes regards avaient été instantanément attirés vers elle. Elle m'avait souri, elle m'avait invitée à m'asseoir à ses côtés et interrogée. J'avais répondu à ses questions. A la plupart d'entre elles. Je lui avais dit que papa était professeur, que maman s'occupait des bébés et que je voyageais avec notre oncle. Je m'étais abstenue de parler avec forfanterie de la famillle. Se vanter n'est pas bien élevé et, souvent, on ne vous croit pas.

Mieux vaut laisser les gens découvrir tout seuls les choses flatteuses en espérant qu'ils ne remarqueront pas les mauvaises. Encore qu'il n'y ait rien de mauvais au sujet de papa et de maman.

Je lui dis que je m'appelais Poddy Fries.

— Poddy? répéta-t-elle. Il me semblait avoir vu autre chose sur la liste des passagers.

— Oh! En réalité, je m'appelle Podkayne. D'après le saint martien, vous savez?

Mais elle ne savait pas.

— Donner un nom d'homme à une fille, je trouve ça très bizarre.

D'accord, mon nom est effectivement insolite, même pour les gens de Mars. Mais pas pour cette raison.

— C'est possible, j'en conviens, mais, avec les Martiens, le genre est un peu une affaire d'opinion, vous ne pensez pas?

Elle battit des paupières.

— Vous plaisantez!

Je commençai à lui expliquer que les Martiens ne font un choix entre les trois sexes que lorsqu'ils sont pubères et que, même alors, la décision n'est valable que pendant une période relativement courte. Mais je renonçai vite, voyant que je m'adressais à un mur. Mme Royer ne pouvait pas imaginer d'autres modalités que les siennes. Aussi, je me hâtai de rectifier le tir.

— Saint Podkayne vivait il y a très, très longtemps. Personne ne sait vraiment s'il était du sexe masculin ou du sexe féminin — ou du neutre. Nous ne possédons que la légende.

Il va sans dire que les traditions sont fort explicites et que beaucoup de Martiens vivants prétendent descendre de saint Podkayne. D'après papa, nous connaissons de façon beaucoup plus précise le passé de Mars qui remonte à des millions d'années que l'histoire humaine qui n'a guère que deux mille ans. Toujours est-il que la plupart des Martiens incluent « Podkayne » dans leur longue liste de noms (qui est, en pratique, un résumé généalogique) parce que la tradition veut que quiconque portant le prénom du saint (ou de la sainte) peut en appeler à son intercession dans les moments pénibles.

Papa est un romantique, je crois l'avoir déjà dit. Et il a pensé que ce serait une bonne idée que de doter un bébé d'un porte-bonheur tel que le nom d'un saint patron. Je ne suis, quant à moi, ni romantique ni superstitieuse, mais je suis contente d'avoir un nom qui m'appartienne à moi toute seule et à personne d'autre. Je suis contente d'être Podkayne « Poddy » Fries. C'est préférable que d'être noyée dans la cohue des Elisabeth, des Dorothy et autres.

Mais comme cela laissait visiblement Mme Royer pantois, nous passâmes à d'autres sujets. Parlant en tant que vétéran de la navigation spatiale (en effet, elle achevait son premier périple Terre-Terre), elle me confia une multitude de choses sur les astronefs et les voyages cosmiques. Des choses qui, pour la plupart, étaient erronées, mais je me prêtai à ses caprices. Elle me présenta à des tas de gens et se répandit en commérages sur les passagers, les officiers, etc. Pendant les temps morts, elle s'étendait sur ses douleurs, ses malaises et ses symptômes, sur son fils qui avait une très belle situation, sur son défunt mari qui avait été un très important personnage — et quand je serai sur la Terre, il faudra absolument qu'elle s'arrange pour me faire rencontrer les gens bien.

— Cela ne compte peut-être guère sur un avant-poste comme Mars, ma chère enfant, mais il est « absolument capital » de prendre un bon départ à New York.

Je la jugeai bavarde, idiote et bourrée de bonnes intentions.

Mais je m'aperçus bien vite que je ne pouvais plus me débarrasser d'elle. Si je traversais le salon — et c'était nécessaire pour aller au poste de pilotage —, elle me sautait dessus et impossible de m'en dépêtrer à moins d'être franchement grossière ou de mentir de façon éhontée. Elle se mit très vite à me demander de petits services : « Pokdayne chérie, ne voudriez-vous pas aller chercher mon châle mauve dans ma cabine? J'ai un peu froid. Je crois qu'il est sur le lit — ou, peut-être dans la penderie. Vous êtes un amour! » Ou bien : « Ma petite Poddy, j'ai beau sonner, la stewardess s'obstine à ne pas répondre. Pourriez-vous allez me chercher mon livre et mon ouvrage? Oh! Pendant que vous y serez, passez-donc à l'office et apportez-moi une bonne tasse de thé. »

Tout cela n'est pas trop grave. Elle a sans doute des rhumatismes dans les genoux et moi pas. Mais ça n'arrêtait pas. Et, rapidement, je devins non seulement sa stewardess personnelle, mais aussi sa dame de compagnie. Elle commença par me demander de lui faire la lecture pour l'endormir. « J'ai une telle migraine que je n'y vois plus clair et votre voix est si apaisante, chérie... »

Je lui fis la lecture pendant une heure et finis

par constater que je ne cessais pour ainsi dire pas de lui masser le front et les tempes. D'accord, il faut faire de petites faveurs aux gens de temps en temps, ne serait-ce que pour témoigner de bonté d'âme. D'ailleurs, il arrive parfois que Mère souffre de migraines atroces quand elle travaille trop et je sais qu'un massage fait du bien.

Cette fois-là, Mme Royer voulut me donner un pourboire. Je refusai. Elle insista.

— Allons, allons, mon enfant! Vous n'allez pas discuter avec la tante Flossie.

— Non, madame Royer, vraiment. Si vous voulez verser cette somme au fonds des astronautes invalides en témoignage de gratitude, ne vous gênez pas. Mais je ne peux pas accepter.

Elle monta sur ses grands chevaux et essaya de fourrer l'argent dans ma poche. Du coup, je la laissai et allai me coucher.

Le lendemain, je ne la vis pas au petit déjeuner. Elle se fait toujours monter un plateau chez elle. Mais, au milieu de la matinée, une stewardess me dit qu'elle voulait me voir dans sa chambre. Je grognai dans ma barbe. En effet, M. Savvonavong m'avait dit que si je me pointais juste avant 10 heures, pendant son quart, je pourrais assister à la technique de la correction balistique et qu'il me l'expliquerait en détail. Si je perdais plus de cinq minutes avec Mme Royer, ce serait trop tard.

Je me rendis quand même auprès d'elle. Elle était plus guillerette que jamais.

— Ah! Vous voilà, ma chère! Il y a une éternité que j'attends. Cette idiote de stewardess... Ma petite Poddy, vous m'avez merveilleusement guérie de ma migraine, hier soir. Or, figurez-vous que, ce matin, j'ai le dos pratiquement paralysé. Vous n'imaginez pas à quel point c'est douloureux! Alors, soyez un ange et massez-moi quelques minutes — disons une demi-heure. Je suis sûre que le résultat sera miraculeux. Vous trouverez de la crème spéciale sur la coiffeuse, je crois. Si vous aviez la bonté de m'aider à défaire mon peignoir...

— Madame Royer...

— Oui, mon enfant? C'est le gros tube rose. Vous en prendrez juste une...

— Je regrette, madame Royer, mais c'est impossible. J'ai un rendez-vous.

— Comment? Bah! Laissez-les attendre! Personne n'est jamais à l'heure sur un navire. Vous devriez peut-être vous réchauffer les mains avant de...

— Je ne vous masserai pas, madame Royer. Si vous avez des ennuis avec votre dos, je ne veux surtout pas y toucher. Cela risquerait de vous faire du mal. Mais, si vous voulez, je peux demander au médecin de passer vous voir.

Subitement, elle cessa tout à fait d'être guillerette.

— Vous voulez dire que vous refusez de me masser?

— Formulez cela comme vous voudrez. Alors, je préviens le médecin?

— Oh! petite impertinente! *Fichez-moi le camp*!

Je ne me le fis pas dire deux fois.

Je la croisai plus tard dans une coursive alors que je me rendais à table. Son regard me traversa comme si je n'existais pas. Aussi, je n'ouvris pas plus la bouche qu'elle. Elle était tout aussi ingambe que moi. Sans doute ses douleurs dorsales s'étaient-elles améliorées. Je la revis encore à deux reprises dans le courant de la journée et, les deux fois, j'étais transparente.

Le lendemain matin, j'étais dans le salon en train d'étudier les bandes pédagogiques de M. Clancy à la visionneuse. Il y en avait une sur l'approche radar et l'autre sur le contact. La visionneuse était installée dans un coin et elle était masquée par de fausses plantes vertes. Peut-être ne me remarquèrent-elles pas. Ou peut-être ma présence leur était-elle indifférente. Je m'arrêtai pour reposer mes yeux et mes oreilles, et j'entendis Mme Garcia dire à Mme Royer :

— ... ce que je suis absolument incapable de supporter sur Mars, c'est cette commercialisation. Pourquoi n'a-t-on pas laissé cette planète dans son état de beauté primitif ?

— Cela vous étonne de gens aussi odieux ?

La langue officielle à bord est l'ortho mais beaucoup de passagers parlent anglais entre eux et ils se comportent souvent comme si personne d'autre ne comprenait cet idiome. Les deux femmes s'exprimaient à haute et intelligible voix. Je continuai d'écouter.

— C'est exactement ce que je disais à Mme Rimski, reprit Mme Garcia. Après tout, ce sont tous des criminels.

— Ou pire encore. Avez-vous remarqué cette petite Martienne ? La nièce — à ce qu'ils prétendent — de cette espèce de grand sauvage noir ?

Je comptai jusqu'à dix à l'envers en vieux

martien et me rappelai de quelle peine est passible un meurtrier. Etre qualifiée de « Martienne » cela m'était égal. Elle ne savait pas de quoi elle parlait et, d'ailleurs, ce n'est pas une insulte. Les Martiens étaient déjà civilisés quand les humains ne savaient pas encore marcher sur deux pattes. Mais « grand sauvage noir »! Oncle Tom est aussi noir que moi je suis blonde. Son sang maori et le hâle du désert lui ont donné la belle couleur du vieux cuivre. Et je l'adore comme il est. Pour le reste, il est instruit, cultivé, gentil et on l'honore partout.

— Je l'ai vue. Je dirais qu'elle est... commune. Tapageuse et vulgaire. Le type qui attire une certaine catégorie d'hommes...

— Vous ne savez pas le plus beau, ma bonne amie! renchérit Mme Royer. J'ai essayé de lui rendre service. J'avais vraiment pitié d'elle et j'estime depuis toujours qu'il faut être charitable, surtout envers ceux qui vous sont socialement inférieurs.

Mme GARCIA : Comme vous avez raison, ma chère!

Mme ROYER : J'ai cherché à lui suggérer la façon dont on doit se conduire parmi les personnes de la bonne société. Rendez-vous compte! Je l'ai même payée en échange de menus services pour éviter qu'elle ne se sente gênée en face de quelqu'un de supérieur. Mais ce n'est qu'une petite ingrate. Elle a pensé qu'elle pourrait m'extorquer davantage d'argent. Elle s'est montrée si grossière que j'ai craint pour ma sécurité. J'ai été obligée de lui ordonner de sortir de ma chambre.

— Vous avez été bien avisée de rompre avec

elle. Bon ou mauvais, le sang ne ment jamais.
Et les sang-mêlé sont les pires. Pour commencer,
il y a eu des criminels... et puis, ensuite, ce scandaleux mélange de races! C'est d'ailleurs patent
dans cette famille. Le frère ne ressemble absolument pas à la sœur. Quant à l'oncle... *hmmm!*
Vous avez fait une allusion voilée à quelque
chose, ma bonne. Croyez-vous qu'elle ne soit
pas sa nièce? Que leurs rapports soient... comment dirai-je... plus intimes?

— Cela ne m'étonnerait ni de l'un ni de l'autre.

— Allons, Flossie, ne me faites pas languir!
Qu'avez-vous découvert?

— Je ne dirai pas un mot. Mais j'ai des yeux.
Et vous aussi.

— Quand même! Devant tout le monde!

— Ce qui me dépasse, c'est que la compagnie permette à ces gens-là de se mêler à nous.
Peut-être est-elle forcée de leur vendre des billets en vertu de traités ou de je ne sais quelles
sottises de ce genre mais nous ne devrions pas
être obligés de les fréquenter... et surtout pas
de manger avec eux!

— Je sais. Dès que je serai rentrée, je m'en
vais leur écrire une lettre bien sentie à ce sujet.
Il y a des limites! Voyez-vous, je pensais que ce
commandant Darling était un gentleman mais
quand j'ai vu ces créatures assises à sa table...
eh bien, je n'en ai pas cru mes yeux. J'ai pensé
avoir une syncope.

— Je vous comprends. Mais, après tout, le
commandant est natif de Vénus.

— C'est vrai. Toutefois, Vénus n'a jamais été
une colonie pénitentiaire. Le garçon... il a la

place que j'occupais avant, juste en face du commandant.

Après cela, elles cessèrent de s'intéresser à nous autres « Martiens » pour se mettre à disséquer Girdie, à se plaindre de la nourriture et du service et même à lancer des coups d'épingle à quelques-unes de leurs amies absentes. Mais je n'écoutais plus. Je ne bougeais pas et je faisais des prières pour avoir la force de continuer comme ça car si jamais je leur révélais ma présence, j'étais sûre de les poignarder avec leurs propres aiguilles à tricoter.

Finalement, elles s'en allèrent — pour se reposer un moment afin de se préparer pour le déjeuner. Je me ruai dans ma cabine, me mis en tenue de gymnastique et me précipitai dans le gymnase afin d'attraper une bonne suée à titre de substitut au crime de sang.

Ce fut là que je retrouvai Clark et que je lui en dis juste assez. Ce qui était peut-être encore trop.

7

D'après M. Savvonavong, on risque d'avoir une tempête de radiations d'un moment à l'autre et un exercice d'alerte est prévu aujourd'hui à titre d'entraînement. La station météo solaire de Mercure a signalé que le coup de chien est en formation. Tous les navires dans l'espace et tous les satellites habités ont été alertés. Ces conditions devraient se prolonger...

Ouille! Le signal d'alarme m'a surprise au beau milieu d'une phrase. On l'a eu, notre exercice d'entraînement, et je crois que le commandant est arrivé à ses fins : tous les passagers ont la trouille! Quelques-uns d'entre eux n'ont pas entendu ou ont fait semblant de ne pas entendre et des hommes d'équipage en combinaisons blindées sont venus les chercher. Cela a été le cas de Clark. Il a été le dernier à être récupéré et le commandant Darling l'a morigéné en public. Ç'a été une œuvre d'art! La prochaine fois, lui a-t-il dit, s'il n'était pas le premier dans l'abri, c'est là qu'il passerait le reste du voyage, au lieu de se balader librement à bord.

Comme d'habitude, Clark ne broncha pas mais je crois que la semonce a fait mouche — surtout la menace de détention. Et je suis sûre que les propos du commandant ont impressionné les autres passagers. Il y avait de quoi vous faire venir des cloques à vingt pas. Peut-être était-ce surtout à leur intention que Darling était monté sur ses grands chevaux.

Et puis, changeant de ton, le commandant s'est mis à expliquer avec la patience d'un maître d'école et en employant des mots simples, ce que nous étions en droit d'attendre, pourquoi il était indispensable que tout le monde rallie l'abri en même temps, même si le hasard voulait qu'on soit dans son bain. Nous y serions parfaitement en sécurité.

Il n'y a qu'un ennui — et il est de taille : l'abri est au centre géométrique du navire. Il se trouve juste derrière le poste de pilotage et il n'est pas beaucoup plus vaste. Les passagers et l'équipage y sont aussi serrés que des petits chiens dans un panier. Personnellement, je suis cantonnée dans un volume de cinquante centimètres de large sur cinquante centimètres de profondeur et d'une hauteur à peine supérieure à la mienne, coincée entre d'autres filles qui m'enserrent de tous côtés. Je ne suis pas sujette à la claustrophobie, mais un cercueil serait plus confortable.

Il y a des réserves de conserves en cas de pépin et le seul qualificatif pouvant définir les installations sanitaires est « épouvantable ». J'espère que cette tempête ne sera qu'un grain et que le beau temps prévaudra ensuite sur le soleil. Passer la fin du voyage dans l'abri transformerait une merveilleuse expérience en cauchemar.

Le commandant conclut son speech par ces mots : « La station Hermès nous préviendra probablement avec un préavis de cinq à dix minutes. Mais il faut que vous arriviez en moins de cinq minutes. Dès que le signal d'alarme retentira, précipitez-vous vers l'abri aussi rapidement que possible. Si vous êtes déshabillé, débrouillez-vous pour que vos vêtements soient à portée de la main, vous vous habillerez une fois arrivés. Ne perdez pas une seconde à vous tracasser pour ceci ou cela : ce serait votre arrêt de mort.

« Les hommes d'équipage fouilleront les quartiers des passagers dès l'instant où l'alerte sera donnée et ils ont l'ordre d'utiliser la force pour conduire à l'abri ceux qui n'iraient pas assez vite. Ils ne discuteront pas : ils cogneront, ils vous flanqueront des coups de pied et ils vous entraîneront manu militari. Je les couvrirai.

« Un dernier mot. Certains d'entre vous ne

sont pas munis de leur compteur de radiations personnel. Je suis légalement autorisé à frapper d'une amende importante les personnes qui enfreignent ainsi le règlement. D'ordinaire, je ferme les yeux sur ce délit d'ordre technique — il s'agit de votre santé, pas de la mienne — mais pendant cette alerte, j'appliquerai le règlement à la lettre. On va vous distribuer des compteurs neufs. Ceux que vous possédez seront remis au médecin pour être examinés et les résultats seront portés sur vos dossiers de santé individuels pour votre gouverne à l'avenir. »

Sur ce, le commandant nous donna quartier libre et nous regagnâmes nos cabines, en sueur et tout dépenaillés. Enfin, je parle pour moi. J'étais en train de me rincer le visage quand le signal d'alarme a retenti à nouveau et je me suis ruée quatre niveaux plus bas comme un chat effarouché. Mais Clark me dépassa en chemin et me coiffa au poteau.

Ce n'était encore qu'un exercice. Cette fois, personne ne mit plus de quatre minutes pour gagner l'abri. Le commandant eut l'air satisfait.

Ce soir-là, ni Mme Royer ni Mme Garcia ne parurent à la salle à manger. Pourtant, pendant l'exercice d'alerte, elles avaient été d'une agilité ahurissante. Elles n'étaient pas dans le salon après le dîner. Leurs portes étaient closes et je vis le médecin sortir de chez Mme Garcia.

Je me pose des questions. Je ne pense quand même pas que Clark les ait empoisonnées. Mais je n'en suis pas tellement sûre. Je n'ose pas le lui demander, redoutant ce qu'il pourrait me répondre, encore que ce ne soit qu'une possibilité lointaine.

Je ne veux pas non plus interroger le médecin pour ne pas attirer l'attention sur la famille Fries. Mais comme je regrette de ne pas être douée de facultés de perception extra-sensorielle (à supposer que cela existe vraiment), ne serait-ce que le temps de découvrir ce qu'il y a derrière ces deux portes fermées!

J'espère que Clark ne s'est pas laissé emporter par son zèle. Oh! j'ai toujours une dent contre ces deux bonnes femmes. Parce qu'il y avait dans leurs ragots juste le petit grain de vérité qui leur faisait faire mouche. Je suis en effet métissée et je sais que c'est mal vu par certains, même s'il n'y a pas de préjugés contre les sang-mêlé sur Mars. Je compte, en effet, des « condamnés » parmi mes ancêtres — mais je n'en ai jamais eu honte. Enfin, pas trop, bien que j'aie sans doute tendance à brandir bien haut un échantillon d'aïeux triés sur le volet. Mais un « condamné » n'est pas toujours un criminel. Tout le monde sait qu'il y a eu dans la lointaine histoire de Mars une période où les commissaires tenaient le haut du pavé sur la Terre et où Mars était utilisée comme colonie pénitentiaire. Personne ne l'ignore et nous ne cherchons pas à le cacher. Mais l'immense majorité des déportés étaient des prisonniers politiques — des « contre-révolutionnaires », des « ennemis du peuple ». Est-ce blâmable?

Non, je n'ai honte ni de mes ancêtres ni de mon peuple, quels que soient la couleur de leur peau et leurs antécédents. Je suis fière d'eux. Et ça me rend folle d'entendre les gens ricaner sur leur compte.

Mais j'espère que Clark n'y a pas été trop

fort. Je ne voudrais pas qu'il passe le reste de sa vie sur Titan. Je l'aime bien, cette petite crapule.

En quelque sorte.

*

8

Eh bien, on l'a eue, cette tempête! Je préfère encore une crise d'urticaire. Ce n'est pas tellement la tempête en soi. Elle a été supportable. Le niveau des radiations a fait un bond de quinze cents fois la normale à l'endroit où nous sommes actuellement — à environ huit dixièmes d'unité astronomique du soleil, soit cent vingt millions de kilomètres, grosso modo. M. Savvonavong prétend que les passagers de première classe auraient pu, tout aussi bien, émigrer sans autre forme de procès en seconde, ce qui aurait été certainement plus confortable que de fourrer tout le monde, voyageurs et équipage, dans ce mausolée à sécurité maximale au centre du navire.

J'enviais pour la première fois la demi-douzaine de non-humains qui se trouvaient à bord. Ils ne vont pas dans l'abri, eux : ils restent simplement enfermés, comme d'habitude, dans leurs appartements spécialement conditionnés. Non, rassurez-vous, on ne les laisse pas griller. Leurs cabines, marquées d'un X, sont presque au centre du vaisseau, dans le secteur réservé aux officiers et à l'équipage, et ils bénéficient d'un blindage supplémentaire. En effet, pas question de demander à un Martien, par exemple, d'abandonner les conditions de pression et d'humidité qui lui sont nécessaires pour rejoindre les humains dans l'abri. Autant le flanquer dans une baignoire et lui maintenir la tête sous l'eau. D'accord, me direz-vous, les Martiens n'ont pas de tête, mais enfin...

Le commandant Darling ne pouvait pas prévoir que la tempête solaire serait courte et relativement bénigne. Il était obligé de se placer dans l'hypothèse la plus pessimiste et d'assurer la protection des passagers et de l'équipage. Plus tard, les instruments montrèrent que nous avions en fait un délai de onze minutes pour rejoindre l'abri. Mais, ça, c'est de la rétrospective...

J'ai passé beaucoup de temps dans le poste de pilotage avant la tempête. La station de météo solaire Hermès ne signale pas l'approche de la perturbation, en fait. Cela se passe autrement : elle n'avertit pas que la perturbation n'approche pas. Cela paraît idiot mais voici comment les choses se passent :

Les météorologistes d'Hermès sont parfaitement à l'abri puisqu'ils sont enfouis sous la face obscure de Mercure. Leurs instruments auscultent précautionneusement l'horizon dans la zone crépusculaire pour recueillir des données sur le temps solaire, y compris des téléphotos sur plusieurs longueurs d'ondes. Mais il faut à peu près vingt-cinq jours au soleil pour faire le tour de la planète et la station ne peut pas le surveiller sans interruption. Ce n'est pas tout : Mercure tourne autour du soleil dans le sens de rotation de celui-ci et un circuit plein prend quatre-vingt-huit jours de sorte que quand le soleil est à nouveau en face de l'endroit où se trouvait Mercure, Mercure n'y est plus. Ajoutez à cela que la station Hermès ne se retrouve exactement dans la même position en face du soleil qu'une fois toutes les sept semaines.

On comprendra facilement que cette situation ne permet pas de prévoir des tempêtes capables de se former en un jour ou deux, d'atteindre leur point culminant en quelques minutes et de nous tuer en quelques secondes — et moins encore.

Mais pendant la saison des tempêtes, un capitaine prudent (ce sont les seuls qui vivent assez longtemps pour toucher leur retraite) calcule son orbite de façon à ne se trouver dans la zone la plus dangereuse — disons à l'intérieur de l'orbite de la Terre — qu'à l'époque où Mercure s'interpose entre lui et le soleil. Ainsi, il pourra toujours être prévenu par la station Hermès en cas d'ennui. C'est exactement ce qu'avait fait le commandant Darling. Le *Tricorne* avait attendu sur Deïmos trois semaines de plus que ne l'indiquaient les brochures touristiques de la ligne du Triangle promettant aux voyageurs le spectacle de la planète Mars afin que, en approche de Vénus, il puisse être averti par la station. En effet, nous étions en pleine saison des tempêtes.

J'imagine que les bureaucrates de la compagnie ont horreur de ces retards onéreux. Possible que la ligne du Triangle mange de l'argent pendant la saison des tempêtes. Mais mieux vaut attendre trois semaines que de perdre un astronef plein de passagers.

Le hic c'est que, quand la tempête éclate, toutes les communications radio s'interrompent instantanément. La station Hermès ne peut pas avertir les navires qui croisent dans le ciel.

Alors, il n'y a rien à faire? Pas tout à fait. La station Hermès peut déceler une tempête en formation. Compte tenu de la situation météo prévalant sur le soleil, elle décèle avec une certitude presque absolue les conditions susceptibles de provoquer une perturbation à très court terme. Alors, elle prévient — et le *Tricorne*, comme les autres astronefs, organise des exercices d'alerte. Et on attend. Un jour, deux jours ou une semaine. Ou la tempête avorte ou elle éclate et émet quantité de particules mortelles. Pendant ce temps, la radio de surveillance de l'espace, installée sur la face obscure de Mercure, lance sans discontinuer des messages météo et décrit l'évolution du temps solaire.

Et, brusquement, elle se tait.

Ce n'est peut-être qu'une panne de courant et l'émetteur de secours ne tardera pas à la relayer. Ce n'est peut-être qu'une coupure, la tempête ne s'est pas encore déchaînée et l'émission reprendra bientôt, rassurant tout le monde.

Mais il se peut aussi que la première rafale ait atteint Mercure à la vitesse de la lumière sans une seconde de préavis, que la station soit aveugle et que sa voix soit noyée par des radiations infiniment plus puissantes.

L'officier de quart n'en sait rien et il n'ose prendre de risques. Dès que le contact avec la station est coupé, il enfonce le bouton qui met en marche une grosse horloge ne possédant qu'une seule aiguille : celle des secondes. Si, au bout d'un certain nombre de secondes, la station Hermès est toujours muette, l'alerte générale retentit. Combien de secondes exactement?

Tout dépend de la position du navire, de la distance à laquelle il se trouve du soleil, du temps qu'il faudra à la première rafale qui a touché la station pour l'atteindre.

C'est alors qu'un commandant se ronge les ongles, que ses cheveux deviennent gris et qu'il gagne légitimement son supertraitement. Parce que c'est lui qui règle la pendule sur un nombre déterminé de secondes. En fait, si la première rafale — la plus terrible — se déplace à la vitesse de la lumière, il n'a pas la moindre marge de temps car l'interruption de l'émission et l'impact de l'onde de choc se produisent simultanément. En revanche, si l'angle est défavorable, peut-être que c'est son propre émetteur qui est en panne et que la station Hermès essaye toujours de l'atteindre avec un signal d'avertissement de dernière minute. Il n'en sait rien.

Mais il sait que s'il lance l'alarme et qu'il expédie tout le monde dans l'abri chaque fois que la radio se tait quelques instants, les gens, las de l'entendre crier « au loup! », ne se dépêcheront pas suffisamment, peut-être, quand ce sera vraiment grave.

En fonction de notre position et de ce que l'on pouvait conclure des rapports météorologiques, le commandant Darling opta pour un délai de vingt-cinq secondes. Comme je voulais savoir pourquoi il avait choisi ce nombre, il se contenta de me regarder avec un sourire sans joie et me répondit : « J'ai demandé à l'esprit de mon grand-père. »

Pendant que j'étais dans le poste de pilotage, l'officier de quart fit redémarrer cinq fois la pendule... et, les cinq fois, nous accrochâmes à nouveau la station Hermès avant l'instant fatidique. La sixième, les secondes s'égrenèrent tandis que chacun retenait son souffle. Ce coup-là, le contact avec la station ne fut pas rétabli et l'alerte sonna comme les trompettes du jugement dernier.

Le commandant, impassible, se retourna pour ouvrir le panneau d'accès de l'abri antiradiations. Je ne bougeai pas, espérant être autorisée à rester dans le poste de pilotage. A strictement parler, il fait partie intégrante de l'abri puisqu'il est situé juste au-dessus de celui-ci et que les blindages en cascade le protègent également.

Sachant que j'étais en sécurité dans le poste de pilotage, je ne bougeai pas, désireuse que j'étais de tirer profit de ma situation de « chouchou du prof ». En effet, je n'avais vraiment aucune envie de passer des heures, voire des jours entiers, allongée sur une planche, entourée de bonnes femmes caquetantes et peut-être même hystériques.

J'étais trop naïve. Le commandant hésita une fraction de seconde au moment de descendre par la trappe et lança sèchement :

— Venez, mademoiselle Fries.

J'obéis. Il m'appelle *toujours* « Poddy » et sa voix était cinglante comme un coup de fouet.

Les passagers de troisième classe affluaient déjà car c'étaient eux qui étaient le plus près et les membres de l'équipage les répartissaient. L'état d'urgence de routine était proclamé depuis le premier avertissement émis par la station Hermès et, au lieu d'être de service un quart sur trois, les spationautes avaient quatre heures de garde et quatre heures de repos. Une partie

106

d'entre eux, portant en permanence leur armure antiradiations (qui doit être affreusement inconfortable), déambulaient dans le quartier des passagers. Ils n'ont le droit de retirer cette armure sous aucun prétexte avant d'être relevés. Ces hommes sont les « traqueurs » qui se targuent de pouvoir vérifier chaque cabine, de houspiller les traînards et de regagner quand même l'abri assez tôt pour ne pas être victimes d'un empoisonnement par radiations cumulatives. Tous sont volontaires et les traqueurs qui sont de faction lorsque l'alerte sonne ont droit à une prime coquette. Les autres — la moitié de l'effectif — n'ont pas cette chance et en reçoivent seulement une petite. L'officier principal est responsable de la première section de traqueurs et le commissaire de la seconde.

D'autres hommes d'équipage sont de service dans l'abri à tour de rôle, munis de listes d'appel et de plans de situation.

Naturellement, le service laissait fort à désirer ces derniers temps du fait qu'un très grand nombre d'hommes avaient été déchargés de leurs tâches habituelles et n'avaient qu'une seule consigne qu'ils devaient exécuter *vite* dès le premier hululement des sirènes. Pendant l'état d'urgence, le service retombe presque exclusivement sur le personnel administratif et sur les stewards car on ne peut guère se passer des ingénieurs, des spécialistes des transmissions et autres experts. Aussi il arrive que le ménage ne soit pas fait avant la fin de la journée — à moins que, comme moi, on ne fasse soi-même son lit et qu'on ne mette de l'ordre dans sa cabine — et les repas durent deux fois plus que d'habitude parce qu'il n'y a pour ainsi dire pas de serveurs.

Mais, évidemment, les passagers sont conscients que cette période de semi-austérité est inévitable et ils sont pleins de gratitude parce que c'est la garantie de leur sécurité.

Eh bien, si vous croyez cela, c'est qu'on peut vous faire gober n'importe quoi! Vous ne connaissez rien de la vie si vous n'avez pas vu un riche et vieux Terrien privé de quelque chose qu'il considère comme son dû parce qu'il s'imagine l'avoir payé en prenant son billet. Moi, j'ai vu un homme peut-être aussi âgé qu'oncle Tom — assez vieux, en tout cas, pour être raisonnable — piquer une crise d'apoplexie ou peu s'en fallait. Je l'ai vu devenir violet, vraiment violet, et se mettre à bégayer. Et tout cela pourquoi? Parce que le garçon de bar ne s'était pas précipité comme un diable sortant d'une boîte pour lui apporter un jeu de cartes neuf.

Tout le monde n'est pas comme cela, bien sûr. Mme Grew, si grosse qu'elle soit, faisait son lit elle-même et ne manifestait jamais d'impatience. D'autres personnes, ordinairement enclines à être fort exigeantes sur le plan du service, font maintenant contre mauvaise fortune bon cœur. Mais il y en a qui se conduisent comme des enfants grognons. Et ce qui n'est pas joli chez les enfants est encore plus désagréable chez leurs grands-parents.

Ce fut en entrant dans l'abri derrière le commandant que je compris à quel point le service du *Tricorne* pouvait être efficace quand la gravité de la situation l'exigeait. Je fus happée — exactement comme un ballon qu'on bloque — et je passai de main en main. Certes, mon poids n'excède guère un dixième de g dans l'axe principal mais j'en eus néanmoins le souffle coupé. D'autres mains me fourrèrent dans mon alvéole qui était déjà prêt avec autant d'indifférence impersonnelle qu'une ménagère qui range une pile de linge. Une voix lança : « Fries, Podkayne! » Une autre répondit : « Noté. »

Autour de moi, au-dessus de moi, en dessous, en face, les alvéoles se garnissaient à une vitesse affolante. Les hommes d'équipage travaillaient sans hâte avec l'efficience de machines automatiques triant des cartouches postales. Un bébé pleurait quelque part et, à travers ses sanglots, j'entendis le commandant demander : « C'est la dernière? »

— C'est la dernière, commandant, répondit le commissaire de bord. Quel est notre temps?

— Deux minutes trente-sept secondes. Et vos hommes peuvent commencer à calculer ce qu'ils vont toucher parce que, cette fois, ce n'est pas un exercice.

— Je m'en doutais, commandant. J'avais parié avec le second. J'ai gagné.

Puis je vis le commissaire passer devant mon caveau en portant quelqu'un dans ses bras. Je voulus me redresser, je me cognai la tête et mes yeux jaillirent de leurs orbites.

La passagère qu'il transbahutait était évanouie et sa tête pendait mollement dans le creux de son coude. Sur le moment, je ne l'identifiai pas car sa figure était d'un rouge ardent. Enfin, je la reconnus et je pensai m'évanouir à mon tour. Mme Royer!

Naturellement, l'érythème est le premier symptôme de l'exposition aux radiations dures.

Quand on attrape un coup de soleil ou, même, quand on se sert de façon imprudente d'une lampe à ultra-violets, la peau devient rose ou rouge. Mais était-il possible que Mme Royer ait encaissé des radiations si violentes que son épiderme ait viré au vermillon en un si bref laps de temps? C'était le pire « coup de soleil » imaginable. Tout cela parce qu'elle était la dernière à être entrée dans l'abri?

Dans ce cas, elle n'était pas évanouie : elle était morte.

Si c'était vrai, le dernier quarteron de passagers à s'être réfugiés dans l'abri devaient tous avoir reçu plusieurs fois la dose mortelle. Peut-être ne s'en ressentiraient-ils pas avant plusieurs heures. Peut-être ne mourraient-ils pas avant plusieurs jours. Pourtant, ils étaient d'ores et déjà condamnés. C'était comme s'ils étaient déjà des cadavres raides et froids.

Combien y en avait-il? J'en étais réduite aux suppositions. Peut-être — correction : *probablement* — tous les passagers de première. C'étaient eux qui avaient la plus grande distance à franchir et qui couraient de prime abord le plus gros risque.

Oncle Tom et Clark...

J'éprouvai un immense chagrin et regrettai d'être restée dans le poste le pilotage. Si mon frère et mon oncle étaient moribonds, je ne voulais plus vivre.

Je ne peux pas dire que je m'apitoyai si peu que ce fût sur le sort de Mme Royer. J'avais été horrifiée à la vue de son visage écarlate mais, à parler franc, je ne l'aimais pas. Je la considérais comme une parasite aux opinions méprisables et si, au lieu de cela, elle était morte d'une crise cardiaque, ça ne m'aurait pas coupé l'appétit, autant le dire sincèrement. Qui verse des larmes sur les millions, les milliards de gens qui sont morts dans le passé, sur ceux qui sont encore vivants et sur ceux qui ne sont pas encore nés et dont la mort est le seul héritage certain (y compris Podkayne Fries soi-même)? Alors, à quoi bon éclater bêtement en sanglots parce que le hasard a voulu que vous vous trouviez à côté de quelqu'un que vous n'aimez pas — que vous vomissiez, en fait — au moment où ce quelqu'un avale son bulletin de naissance?

N'importe comment, je n'avais pas le temps de m'attendrir sur Mme Royer : j'avais trop de chagrin pour mon frère et pour mon oncle. Je me reprochais de n'avoir pas été plus gentille avec oncle Tom, d'avoir abusé de lui; j'exigeais toujours qu'il abandonne ce qu'il faisait pour m'aider à résoudre mes petits problèmes frivoles. Je regrettais de m'être si souvent disputée avec mon frère. Après tout, ce n'était qu'un enfant et, moi, j'étais une femme. J'aurais dû être plus indulgente. J'avais les larmes aux yeux et les premiers mots du commandant m'échappèrent :

— Je m'adresse à l'équipage et à tous nos hôtes, disait-il d'une voix ferme et, en même temps, très apaisante. Il ne s'agit pas d'un exercice, mais bien d'une véritable tempête de radiations. Que personne ne s'inquiète. Tout le monde est parfaitement en sécurité. Le médecin a examiné le compteur de radiations personnel du dernier homme qui est entré dans l'abri. La lecture affichée est en deçà du seuil critique. Même si l'on ajoutait le taux de radiations accumulées par la personne qui a été le plus exposée — ce n'est d'ailleurs pas un passager, mais un membre du personnel navigant —, le total serait encore inférieur au maximum admissible pour la santé et l'hygiène génétique. Je le répète : personne n'a été et personne ne sera touché. Nous allons seulement devoir supporter des conditions quelque peu inconfortables. J'aimerais pouvoir vous dire combien de temps nous devrons rester dans l'abri mais je ne le sais pas. Peut-être quelques heures, peut-être plusieurs jours. La plus longue des tempêtes de radiations enregistrée a duré moins d'une semaine. Espérons que notre vieux Sol sera, cette fois, d'humeur plus clémente. Mais nous ne bougerons pas d'ici tant que la station Hermès ne nous aura pas signalé la fin de la tempête. Lorsque le signal de fin de perturbation est reçu, il ne faut généralement pas trop longtemps pour inspecter le bâtiment et s'assurer que les passagers peuvent regagner leurs quartiers sans risques. En attendant, soyez patients. Et que chacun soit tolérant avec les autres.

Dès que le commandant avait commencé de parler, je m'étais sentie mieux. Sa voix avait un effet presque hypnotique. C'était comme une mère qui rassure un enfant... « Tout va bien, maintenant. » Je me relaxai et n'éprouvai plus qu'un sentiment de faiblesse, contrecoup de mes craintes de tout à l'heure. Et puis, je me mis à me poser des questions. Le commandant Darling ne nous racontait-il pas que tout allait bien alors que, en réalité, tout allait mal, simplement parce qu'il était trop tard et que l'on ne pouvait rien faire? Je passai en revue tout ce que j'avais appris au sujet de l'empoisonnement par les radiations depuis les notions d'hygiène élémentaire qu'on enseigne au jardin d'enfants jusqu'à un enregistrement de M. Clancy que j'avais auditionné pas plus tard que cette semaine.

Ma conclusion fut que le commandant avait dit la vérité.

Une vérité qui faisait chaud au cœur. J'étais si contente que j'en oubliai de me demander pourquoi Mme Royer avait l'air d'une tomate mûre. Je m'abandonnai béatement à l'idée que mon oncle bien-aimé n'allait pas mourir et que mon petit frère vivrait pour me causer encore bien des tourments familiers. Je faillis m'assoupir mais fus réveillée en sursaut par ma voisine de droite qui se mettait à hurler : « Laissez-moi sortir! Laissez-moi sortir! »

J'assistai alors à une démonstration d'action immédiate et énergique.

Deux hommes d'équipage se ruèrent vers nous et empoignèrent la femme. Une stewardess était sur leurs talons. Elle appliqua un bâillon sur la bouche de la dame et lui fit une piqûre dans le bras. Simultanément, on la maintint jusqu'à ce qu'elle eût cessé de se débattre. Alors, l'un des spationautes la prit dans ses bras et l'emmena je ne sais où.

Peu de temps après, une autre stewardess apparut. Elle recueillait les compteurs de radiations et distribuait des somnifères. La plupart des gens les avalaient mais, moi, je refusai : je n'aime pas les pilules — c'est le moins qu'on puisse dire — et je ne voulais absolument pas prendre quelque chose qui m'assommerait et m'empêcherait de savoir ce qui allait se passer. La stewardess insista, mais je peux être terriblement cabocharde quand je veux. Finalement, elle haussa les épaules et s'éloigna. Par la suite, il y eut encore trois ou quatre autres crises de claustrophobie galopante qui n'étaient peut-être tout bonnement que des crises de trouille. Mais je n'en sais rien. Chaque fois, l'incident fut réglé promptement et sans bavures. Bientôt, le calme régna dans l'abri, brisé seulement par des ronflements, des murmures et les pleurs incessants des bébés.

En première classe, il n'y a pas de bébés et guère d'enfants de façon générale. En seconde, il y a pas mal de gosses mais, en troisième, ils pullulent. Apparemment, chaque famille a au moins un enfant en bas âge. C'est évidemment pourquoi elles sont là. Presque tous les passagers de troisième sont des gens de la Terre qui se rendent sur Vénus. La Terre est tellement surpeuplée qu'un homme nanti d'une grande famille en arrive facilement au point où l'émigration vers Vénus devient le meilleur moyen de sortir d'une situation impossible. Alors, il signe un contrat de travail et la Vénus S.A. lui paie son passage à titre d'avance sur son salaire futur.

Je suppose que c'est parfait comme cela. Ces gens sont obligés de partir et Vénus a besoin de toute la main-d'œuvre qu'elle peut trouver. Mais je suis bien contente que la république de Mars ne subventionne pas l'émigration car on serait submergé. Nous acceptons des émigrants mais c'est à eux de payer leur billet et ils doivent laisser leurs tickets de retour en dépôt. Ils n'ont pas le droit de les revendre avant deux années martiennes.

Et c'est une bonne chose. Un tiers, au moins, des émigrants ne s'adapte pas. Ils ont le mal du pays, ils perdent le moral et utilisent leurs billets de retour. Je ne comprends pas que l'on puisse ne pas aimer Mars mais, si c'est comme ça, il est préférable de ne pas s'entêter.

Voilà à quoi je pensais. J'étais un peu surexcitée, je m'ennuyais un tantinet et, surtout, je me demandais pourquoi personne ne s'occupait de ces malheureux bébés.

On avait baissé l'éclairage et je ne reconnus pas la personne qui s'approchait de mon alvéole.

— Poddy? (C'était la voix de Girdie. Elle parlait doucement mais clairement :) Vous êtes là?

— Il me semble. Que se passe-t-il, Girdie? dis-je, moi aussi à mi-voix.

— Est-ce que vous savez changer un bébé?

— Et comment!

Brusquement, je me demandai comment allait Duncan... et pris conscience qu'il y avait des jours et des jours que je n'avais pas véritablement pensé à lui. M'avait-il oubliée? Reconnaîtrait-il maman Poddy quand il la reverrait?

— Eh bien, amenez-vous, ma fille! Il y a du pain sur la planche.

Ce n'était pas peu dire! La partie inférieure de l'abri était divisée en quartiers à la manière d'une tarte : le bloc sanitaire, une infirmerie pour les hommes, une autre pour les femmes (l'une et l'autre archicombles) et, coincé dans un petit coin entre les deux, un simulacre de pouponnière qui n'avait pas plus de deux mètres de côté. Trois parois sur quatre étaient tapissées de couffins porte-bébés empilés jusqu'au plafond et le surplus débordait dans l'infirmerie des femmes. L'écrasante majorité de ces bébés pleurait.

Au milieu de ce pandémonium, deux stewardesses exténuées et qui pouvaient à peine bouger étaient occupées à les changer à la chaîne sur une tablette tout juste assez grande. Girdie tapa sur l'épaule de l'une d'elles.

— Des renforts ont atterri, mesdemoiselles. Allez vous reposer et manger un morceau.

La plus âgée des deux protesta faiblement, mais elles étaient folles de joie à l'idée de s'interrompre. Elles partirent et nous les relayâmes, Girdie et moi. Je ne sais pas combien de temps nous avons travaillé, nous n'avions pas le loisir d'y penser : nous ne pouvions pas suffire à la tâche et nous ne réussissions jamais à tenir le rythme. Mais cela valait mieux que d'être allongée sur un rayon à regarder fixement le rayon du dessus à quelques centimètres de votre nez. Le plus dur était le manque de place. J'étais obligée de garder mes coudes collés au corps pour ne heurter ni Girdie d'un côté ni, de l'autre, le berceau qui me touchait.

Mais je me garderai de formuler des critiques à ce sujet. L'ingénieur qui a conçu l'abri a été obligé de prévoir le regroupement d'un maximum de gens dans un minimum d'espace. Il n'y avait pas d'autre façon de s'en sortir si on voulait que tout le monde disposât d'une épaisseur de blindage suffisante pendant une perturbation.

Mais allez donc expliquer ça à un poupon!

Girdie travaillait efficacement avec une aisance et une économie de mouvements qui me surprenaient. L'idée ne me serait jamais venue qu'il lui soit arrivé de changer un bébé. Mais elle savait s'y prendre et était plus rapide que moi. « Où sont leurs mamans? », lui demandai-je, voulant dire par là : « Pourquoi ces flemmardes ne sont-elles pas ici à nous aider au lieu de laisser tout le travail aux stewardesses et à quelques volontaires? »

Girdie me comprit à demi-mot :

— La plupart — sinon toutes — ont d'autres enfants en bas âge qu'il faut tenir tranquilles. Elles en ont plein les bras. Il y en a deux qui ont craqué. Elles sont là, sous soporifique.

D'un coup de menton, elle désigna l'infirmerie.

Je me tus car l'explication était valable. Il était impossible de s'occuper comme il faut d'un nourrisson dans ces niches étroites où s'entassaient les passagers et si chaque mère essayait d'amener le sien à la pouponnière quand il était mouillé, il y aurait des encombrements indescriptibles.

— On est à court de couches, dis-je.

— Il y en a dans le placard derrière vous. Vous avez vu la tête de Mme Garcia?

— Hein? (Je m'accroupis pour faire provision de langes :) Vous voulez dire Mme Royer?

— Je veux dire toutes les deux. Mais c'est Mme Garcia que j'ai vue la première et j'ai eu tout le temps de l'observer pendant qu'on la calmait. Vous ne l'avez pas vue, vous?

— Non.

— Eh bien, si vous en avez l'occasion, tâchez de jeter un coup d'œil dans l'infirmerie des femmes. C'est stupéfiant! Elle est jaune de chrome. Jaune vif. Un pot de peinture comme ça, ça n'a jamais existé. Et encore moins un visage humain.

J'avalai ma salive :

— Dieu du ciel! J'ai vu Mme Royer. Elle, elle n'est pas jaune, elle est rouge cerise. Qu'a-t-il bien pu leur arriver, Girdie?

— Ce qui leur est arrivé, je le sais exactement, répondit-elle en pesant ses mots. Mais comment? Ça, personne ne peut le deviner.

— Je ne vous suis pas.

— Ces couleurs sont éloquentes. C'est exactement la teinte de deux bains colorants qu'on utilise en photographie. Vous avez des notions de photo?

— Pas tellement.

Je n'allais évidemment pas reconnaître que j'avais certaines connaissances dans ce domaine car Clark est un photographe amateur accompli; et pas question de raconter ça non plus!

— Vous avez quand même certainement déjà vu quelqu'un prendre des instantanés. On tire sur la languette et hop! ça y est. Seulement, il n'y a pas encore d'image. Le film est aussi transparent qu'un morceau de verre. Alors, on le fait barboter dans l'eau pendant trente secondes. Il n'y a toujours pas d'image. On le met n'importe où pourvu qu'il soit exposé à la lumière et l'image commence à apparaître. Quand vous jugez que les couleurs sont convenables, vous recouvrez le cliché et vous le laissez sécher à l'ombre pour qu'elles ne deviennent pas trop crues. (Girdie pouffa :) D'après le résultat, j'ai l'impression que ces dames n'ont pas protégé leur visage assez tôt pour interrompre le processus. Elles ont probablement voulu se débarbouiller et cela n'a fait qu'aggraver les choses.

— Je ne vois toujours pas comment une chose

118

pareille aurait pu se produire, fis-je sur un ton ahuri.

Et j'étais effectivement ahurie... enfin, plus ou moins.

— Vous n'êtes pas la seule dans ce cas. Mais le médecin a une théorie. On a piégé leurs gants de toilette.

— Hein?

— Quelqu'un doit avoir un stock de révélateur. Ce quelqu'un a trempé deux gants de toilette dans le produit inactif — je veux dire incolore — et les a soigneusement mis à sécher dans l'obscurité. Ensuite, il a substitué les gants truqués à ceux des cabines. Cette dernière opération n'a pas dû être tellement compliquée si ce quelqu'un a du sang-froid. Depuis un jour ou deux, le service est relâché à cause des préparatifs en vue de la tempête. Si vous avez de la chance, vous trouvez des gants et des serviettes propres dans votre chambre — ou bien vous n'en trouvez pas. Et tout le linge de toilette du bord est du même modèle. Impossible de s'apercevoir de la différence.

« J'espère bien! » m'exclamai-je in petto. Et j'ajoutai tout haut.

— Sans doute pas.

— Certainement pas. Le coupable peut être n'importe quelle stewardess ou n'importe quel passager mais le vrai mystère est ailleurs : d'où viennent ces produits? Il n'y en a pas à bord. Tout ce qu'on trouve, ce sont des rouleaux tout prêts. Et le médecin est catégorique : il jure sur sa tête que seul un chimiste hors ligne disposant d'un laboratoire spécialisé pourrait séparer les colorants à partir de l'émulsion. En outre, comme on ne fabrique même pas ces films sur Mars, il pense que le coupable est quelqu'un qui a embarqué sur la Terre. (Girdie me lança un coup d'œil et sourit :) De sorte que vous n'êtes pas suspecte, Poddy. En revanche, moi, je le suis.

— Pourquoi donc? (Et si je ne suis pas suspecte, mon frère ne l'est pas davantage!) C'est idiot!

— Oui, c'est idiot. Même si j'avais eu les colorants, je n'aurais pas su m'en servir. Seulement, j'aurais fort bien pu me les procurer sur Terre et je n'ai aucune raison de nourrir une tendresse particulière à l'endroit de ces deux bonnes femmes.

— Je ne vous ai jamais entendue dire un seul mot contre elles.

— Non, mais j'ai surabondamment nourri leurs conversations et les gens ont des oreilles, de sorte que je suis en tête de la liste des suspects. Mais ne vous affolez pas, Poddy. Je ne suis pour rien dans cette histoire et il est donc impossible de prouver que c'est moi qui ai fait le coup. Et j'espère, ajouta-t-elle en riant, qu'on ne trouvera jamais celui qui l'a fait!

Je ne répondis même pas : « Moi aussi! » J'avais ma petite idée quant à la personne capable d'obtenir des colorants à l'état pur à partir d'un rouleau de film sans avoir besoin pour cela d'un laboratoire de chimie complet et je passai fébrilement en revue les différents objets que j'avais vus dans la chambre de Clark quand j'avais perquisitionné. Or, il n'y avait rien qui ressemblât de près ou de loin à des colorants photographiques. Non. Il n'y avait pas même de films.

Ce qui, justement, ne prouve rien quand il

s'agit de Clark. Pourvu qu'il ait bien fait attention à ne pas laisser d'empreintes!

Les deux stewardess ne tardèrent pas à revenir, nous fîmes téter tous les bébés, puis nous nous récurâmes tant bien que mal, Girdie et moi, nous mangeâmes un morceau sur le pouce et je regagnai mon alvéole. A ma grande surprise, je sombrai aussitôt dans le sommeil.

Je dus dormir trois ou quatre heures car je ratai l'accouchement de Mme Dirkson. C'était une des émigrantes terriennes et, normalement, elle aurait dû mettre son bébé au monde longtemps après être arrivée sur Vénus. J'imagine que l'énervement a accéléré les choses. Toujours est-il que lorsqu'elle commença à avoir les douleurs, on la transporta à la mini-infirmerie. Le Dr Torland, dès le premier coup d'œil, ordonna qu'on l'installe dans le poste de pilotage car c'était le seul endroit à l'abri des radiations où il y avait suffisamment de place pour lui permettre de faire ce qu'il avait à faire.

Et le bébé naquit entre le bac à cartes et l'ordinateur. Le Dr Torland et le commandant Darling sont ses parrains, la première stewardess est la marraine et l'enfant a reçu le nom de « Radiante »; c'est un mauvais calembour mais c'est plutôt gentil.

On bricola une couveuse de fortune dans le poste de pilotage et on reconduisit Mme Dirkson à l'infirmerie pour lui donner quelque chose qui la fasse dormir. Quand je me suis réveillée et que j'ai appris la nouvelle, le bébé était toujours dans la salle de contrôle. Misant sur l'espoir que le commandant s'était radouci, je pris mes risques et, me glissant jusqu'au poste de pilotage, je passai la tête par la porte.

— S'il vous plaît, est-ce que je pourrais voir le bébé?

Sur le moment, le commandant parut contrarié. Enfin, il eut un sourire imperceptible :

— D'accord, Poddy. Regarde-le et sauve-toi.

Je le regardai. Radiante fait environ un kilomasse et, à franchement parler, on dirait un chaton souffreteux qu'il ne vaut pas la peine d'essayer de sauver. Mais le Dr Torland affirme que tout va pour le mieux et qu'elle deviendra une jolie petite fille pleine de santé. Encore plus jolie que moi. Je pense qu'il sait de quoi il parle mais si jamais Radiante doit être plus belle que moi, elle a un sérieux bout de chemin à parcourir. Elle est à peu près aussi rouge que Mme Royer et presque complètement couverte de rides.

Mais elle poussera, cela ne fait aucun doute, car elle ressemble à une des images de la fin de la série d'un bouquin de classe terrible intitulé *Le Miracle de la Vie* — et les premières images de cette série étaient encore moins ragoûtantes. Au fond, c'est peut-être aussi bien qu'on ne puisse pas voir les bébés avant qu'ils soient prêts à faire leurs débuts dans le monde. Autrement, la race humaine démoralisée s'éteindrait. Ce serait encore mieux si on pondait des œufs. L'ingénierie humaine laisse quand même un peu à désirer, surtout en ce qui concerne la femelle de l'espèce.

Je redescendis à la pouponnière voir si l'on avait besoin de moi. Non, on n'avait pas besoin de moi pour le moment. On avait redonné à manger aux bébés. Une stewardess et une jeune femme que je ne connaissais pas encore étaient de service et, me dirent-elles, elles n'étaient là que depuis quelques minutes. Je restai quand même à traîner, n'ayant nulle envie de retrouver mon alvéole. Histoire de faire semblant de me rendre utile, je me mis à vérifier l'état des poupons et à passer aux filles qui travaillaient vraiment ceux qui avaient besoin d'être changés au fur et à mesure que la place était libre.

Cela accéléra un peu le mouvement. Au moment où je faisais des papouilles à un nourrisson frétillant que je venais de sortir de son berceau, la stewardess leva la tête.

— Je suis prête pour celui-là, dit-elle.

— Oh! Il n'est pas mouillé. Il... ou elle. Simplement il s'ennuie et il a besoin qu'on s'occupe de lui.

— Nous n'avons pas le temps.

— Croyez-vous?

— Ils ont tous eu leur biberon.

— Un biberon ne fait pas de câlins.

La stewardess ne répondit pas.

Sur ces entrefaites, Girdie apparut.

— Je peux vous aider?

— Et comment! Tenez... prenez celui-là.

Quelques minutes plus tard, j'avais rameuté trois filles de mon âge quand je tombai sur Clark qui rôdait dans les coursives au lieu de rester tranquillement dans l'alvéole qui lui avait été assigné. Du coup, je le mobilisai, lui aussi. Il serait exagéré de dire qu'il était enthousiaste mais faire quelque chose valait quand même mieux que ne rien faire du tout et il m'accompagna.

C'était le maximum d'aide que je pouvais utiliser vu le manque de place. Nous avions résolu le problème de la façon suivante : il y avait un câlineur de bébé dans chacune des infirmeries et la maîtresse de cérémonie (moi, en l'occurrence) était debout au pied de l'échelle, prête à se recroqueviller dans tous les azimuts pour laisser les gens entrer au lavabo ou en sortir, monter ou descendre. Girdie, qui était plus grande que moi, se tenait derrière les deux filles de la table à langer et se chargeait du dispatching : elle me tendait les bébés qui criaient le plus fort et passait ceux qui étaient mouillés aux opératrices.

Au bout de dix minutes, le vacarme s'était tu. On n'entendait plus, par-ci par-là, qu'un vagissement rapidement apaisé. Je ne pensais pas que Clark tiendrait le coup et pourtant il restait. Probablement parce que Girdie était là. Avec, sur les traits, une expression d'austère noblesse que je ne lui avais jamais vue, il pouponnait à grand renfort de « agui-agui » et de « là, là, là, du calme, mon poussin », comme s'il n'avait fait que cela toute sa vie.

J'étais à la table à langer quand le commandant s'adressa à nous par haut-parleur :

— Votre attention, je vous prie. Dans cinq minutes, l'énergie sera coupée et nous serons en chute libre pour effectuer une réparation à l'extérieur. Ordre à tous les passagers de s'attacher. Ordre à tous les membres de l'équipage d'observer les précautions d'usage en chute libre.

Le *Tricorne* cessa de tourner sur lui-même. Une rotation toutes les douze secondes, on ne s'en aperçoit pas au centre du navire. Mais quand ça s'arrête de tourner, cela se remarque. La stewardess que j'assistais me dit :

— Remontez vous attacher, Poddy. Vite!

— Ne dites pas de bêtises, Bergitta, il y a du travail à faire.

Je fourrai le nourrisson que je venais de nettoyer dans son couffin et fis coulisser la fermeture.

— Vous êtes une passagère, Poddy. C'est un ordre.

— Qui vérifiera l'état de tous ces bébés? Vous? Et les quatre qui sont dans l'infirmerie des femmes?

Bergitta me regarda d'un air ahuri et se précipita pour aller les chercher. Toutes les autres stewardesses étaient occupées à vérifier les lanières. Bergitta ne m'ennuya plus avec ses « c'est un ordre » : elle n'avait pas le temps — il lui fallait accrocher la table à langer et attacher les couffins. Je contrôlai les autres.

Quand la sirène sonna et que le commandant coupa l'énergie, je n'avais pas encore terminé.

Bigre de bougre! Ce pandémonium! La sirène réveilla les bébés qui dormaient, elle terrifia ceux qui étaient réveillés et sans exception chacun de ces petits vermisseaux frétillants se mit à brailler à pleins poumons. Celui dont je n'avais pas encore bouclé le couffin jaillit de son cocon et se mit à flotter en l'air. Je le rattrapai par un pied, décollai à mon tour et nous heurtâmes tous deux doucement une cloison tapissée de berceaux.

La stewardess nous empoigna, enfourna l'adorable mignon dans sa camisole de force qu'elle referma pendant que je me cramponnais à une poignée. A ce moment, deux autres nourrissons jouèrent la fille de l'air.

Cette fois, je me débrouillai mieux : j'en récupérai un et le gardai prisonnier pendant que Bergitta se chargeait de l'autre. Elle savait admirablement se comporter sous gravité nulle avec des mouvements gracieux et coulants comme une danseuse au ralenti. Je me dis qu'il fallait absolument que j'acquière ce talent.

Je pensais que le plus critique était passé. Quelle erreur! Les bébés n'aiment pas la chute libre.

Je sais maintenant pourquoi les stewardesses sont toutes infirmières diplômées : en l'espace de quelques minutes, il fallut sauver cinq bébés qui étouffaient. Bergitta dégagea la gorge du premier qui vomissait son lait et, après l'avoir vue à l'œuvre, je m'occupai du second qui avait des ennuis pendant qu'elle se chargeait du troisième. Et ainsi de suite.

Quand le signal de fin d'alerte retentit, ce fut comme si nous étions amnistiés de purgatoire. Un bain chaud, c'était ni plus ni moins le paradis avec accompagnement de chœurs célestes. Le taux de radiations du pont A avait déjà été vérifié pendant la réparation et tout allait bien. La réparation elle-même, appris-je, avait été une simple opération de routine. Les antennes, les récepteurs et d'autres accessoires extérieurs ne résistent pas à de telles tempêtes : ils grillent. Aussi, dès la fin de la perturbation, des hommes en combinaison blindée sortent pour les remplacer. C'est normal et inévitable. Exactement comme quand il s'agit de changer une rampe lumineuse à la maison. Mais le personnel qui effectue le travail touche la même prime que les traqueurs car le cher et vieux Sol pourrait avoir un petit goût de revenez-y et les frire.

Barbotant dans l'eau chaude et pure, je songeais à la dure épreuve qu'avaient été ces dix-huit heures. Et puis, je me dis que, somme toute, cela n'avait pas été tellement terrible.

Il vaut beaucoup mieux passer des moments pénibles que de se barber.

9

Maintenant, j'ai vingt-sept ans.

En années vénusiennes, naturellement. Mais ça sonne mieux. Tout est relatif.

N'empêche que je ne resterais pas sur Vénus, même si on me garantissait l'âge idéal pendant mille ans. Vénusberg est une espèce de dépression nerveuse organisée et en dehors de la ville, dans la campagne, c'est encore pis à en juger par le peu que j'en ai vu. Et je ne tiens pas à en voir beaucoup. Qu'on ait placé cet endroit sinistre, noyé de brouillard, sous le parrainage de la déesse de l'amour et de la beauté, ça me dépasse. On dirait que cette planète a été construite avec les rogatons qui restaient après que le système solaire eut été terminé.

Je ne pense pas que je me risquerai hors de Vénusberg sauf qu'il faut absolument que je voie un vol de fées. La seule que j'aie eu l'occasion de voir jusqu'à présent était dans le hall du Hilton ou nous sommes descendus — et elle était empaillée.

En fait, je ronge mon frein en attendant d'appareiller pour la Terre parce que Vénus est une grosse déception et je fais des vœux pour qu'il n'en aille pas de même avec la Terre. Mais je ne vois pas comment ce pourrait être aussi décevant. La seule idée d'une planète où l'on peut se promener à l'air libre sans précautions particulières a quelque chose de délicieusement primitif. Rendez-vous compte! D'après oncle Tom, il y a au bord de la Méditerranée (c'est un océan de la Douce France) des endroits où les indigènes se baignent sans le moindre vêtement et, à plus forte raison, sans combinaison isolante et sans masque.

Je n'aimerais pas ça. Non que j'aie honte de mon corps : j'apprécie une bonne séance de sauna tout autant que le premier homme de Mars venu. Mais j'aurais une peur bleue de me baigner dans un océan. Je n'entends pas être immergée dans quelque chose de plus large qu'une baignoire. Au printemps dernier, on a repêché un homme dans le Grand Canal et j'ai assisté à l'opération : il a fallu le décongeler avant qu'on puisse l'incinérer.

On prétend toutefois qu'au bord de la Méditerranée l'air est souvent, l'été, à la température du sang et que l'eau est à peine plus fraîche. C'est peut-être vrai, mais Podkayne n'est pas fille à prendre des risques idiots.

Toujours est-il que j'ai follement hâte de voir ce monde fantastique et incroyable. Au fond, les idées les plus nettes que je me fais de la Terre viennent tout droit du *Magicien d'Oz* et, si l'on y réfléchit, ce n'est pas une source tellement digne de foi.

Mais, la Terre, ce sera seulement dans quelques semaines et, entre-temps, il y a pour une nouvelle venue comme moi un certain nombre de particularités intéressantes sur Vénus.

Si vous voyagez, je vous recommande chaudement de le faire avec mon oncle Tom. En arrivant, nous n'avons pas été sottement obligés d'attendre dans une salle d'« accueil (!) ». Nous avons immédiatement eu droit à l' « hospitalité du spatioport » — au grand dépit de Mme Royer. L'« hospitalité du spatioport », cela veut dire qu'on n'inspecte pas vos bagages et que personne ne prend la peine d'examiner l'imposante masse de documents dont vous êtes munis — passeport, livret de santé, laissez-passer de la sécurité, certificat de solvabilité, extrait de naissance, carte d'identité et dix-neuf autres pièces tout aussi ridicules. Bien au contraire : c'est à bord du yacht du président du conseil d'administration, venu nous prendre à la station satellite, que nous avons gagné le port où le président en personne nous attendait! Il nous a enfournés dans sa Rolls et nous a royalement conduits au Hilton Tannhäuser.

Nous fûmes invités à prendre nos quartiers dans sa résidence officielle (son « chalet » : c'est le mot vénusien pour « palais ») mais je ne pense pas qu'il s'attendait vraiment que nous acceptions car oncle Tom se contenta de hausser son sourcil satirique — le gauche — et de dire :

— Je suis sûr, monsieur le président, que vous ne souhaitez pas que j'aie l'air de me vendre, même si vous vous débrouillez pour m'acheter.

Et le président ne parut nullement offusqué : bien au contraire, il s'esclaffa à tel point que son

ventre tressautait comme celui du Père Noël
(à qui il ressemble beaucoup avec sa barbe et
ses joues rouges bien que ses yeux restent froids
quand il rit, ce qui lui arrive fréquemment).

— Vous me connaissez trop bien pour cela,
sénateur, répliqua-t-il. Si je cherchais à vous
corrompre, je m'y prendrais de façon plus subtile.
Peut-être par le truchement de cette jeune personne. Mademoiselle Podkayne, aimez-vous les
bijoux?

Je lui répondis en toute franchise que non,
pas tellement, parce que je les perds toujours.
Il cilla et se tourna vers Clark :

— Et toi, mon garçon?

— Je préfère les espèces, rétorqua mon frère.

Le président cilla à nouveau et ne dit rien.

Il n'avait rien dit non plus au chauffeur quand
oncle Tom avait décliné son offre de nous prêter
son toit. Cependant, nous filâmes droit à notre
Hilton. C'est justement à cause de cela que je ne
crois pas qu'il comptait que nous habiterions
chez lui.

Mais je commence à me rendre compte que
ce voyage n'est pas entièrement une partie de
plaisir pour oncle Tom et à saisir affectivement
un fait que, jusque-là, je n'appréhendais qu'intel-
lectuellement, à savoir que mon oncle n'est pas
simplement le meilleur joueur de pinochle de
Marsopolis : il joue parfois à d'autres jeux où
les mises sont plus élevées. Je dois avouer que
le pourquoi et le comment s'inscrivent au delà
de mon horizon tenu pour juvénile sauf pour ce
qui est d'une chose que tout le monde sait :
que la conférence triplanétaire est imminente.

Question : se pourrait-il que le tonton ait un

rôle à jouer à ladite conférence? A titre de conseiller ou je ne sais quoi? J'espère que non car, dans ce cas, il risquerait d'être cloué pendant des semaines sur Luna et je n'ai aucune envie de perdre mon temps sur une lugubre boule de mâchefer alors que les merveilles de Terra m'attendent... Et oncle Tom pourrait peut-être bien se faire tirer l'oreille pour me laisser aller sur la Terre sans lui.

Je regrette très vivement que Clark ait répondu aussi sincèrement au président. Pourtant, jamais il ne vendrait son propre oncle pour une vulgaire somme d'argent.

D'un autre côté, il ne considère pas l'argent comme quelque chose de « vulgaire ». Il faut que je réfléchisse à cela...

Mais il est quand même réconfortant de se dire que celui qui lui donnerait un pot-de-vin s'apercevrait que Clark n'a pas seulement pris le pot-de-vin mais aussi la main qui l'offrait.

Il est possible que notre suite du Tannhäuser constitue également un pot-de-vin. Est-ce que nous payons notre pension? J'ai presque peur de poser la question à oncle Tom mais je sais une chose : les domestiques inclus dans le tout-compris n'acceptent pas de pourboires. Strictement pas. Or, j'ai étudié avec le plus grand soin le problème du pourboire sur Vénus et sur la Terre pour savoir ce que je devrais faire le moment venu et, d'après ce que j'ai compris, *tout le monde* sur Vénus accepte *toujours* les pourboires, même les suisses dans les églises et les caissiers des banques.

Mais pas les domestiques affectés à notre

service. J'ai, pour ma part, deux minuscules poupées couleur d'ambre qui se ressemblent comme deux gouttes d'eau. Elles me suivent comme des ombres et me baigneraient si je me laissais faire. Elles parlent le portugais mais pas l'ortho — or, pour le moment, mon portugais se limite à « gobble-gobble » (ce qui veut dire « merci ») et j'ai de la peine à leur faire comprendre que je suis capable de m'habiller et de me déshabiller toute seule. En outre, je ne sais pas au juste comment elles s'appellent : toutes deux répondent au nom de Maria.

J'ai, tout au moins, l'*impression* qu'elles ne parlent pas l'ortho. Il faudra que je réfléchisse aussi à cela.

Officiellement, Vénus est bilingue. Les deux langues officielles sont l'ortho et le portugais mais je suis prête à parier que, durant la première heure de notre séjour, j'ai entendu pour le moins vingt autres idiomes. L'allemand, c'est comme quelqu'un qui s'étrangle, le français comme des chats qui se battent et l'espagnol comme de la mélasse qui s'écoule doucement d'un cruchon en gargouillant. Quant au cantonais... vous n'avez qu'à imaginer un homme qui essaye de faire des vocalises sur une musique de Bach et qui, au départ, n'aime pas beaucoup Bach.

Heureusement, presque tout le monde comprend l'ortho. Sauf Maria et Maria. S'il est vrai qu'elles ne le comprennent pas.

Je pourrais fort bien me dispenser du luxe d'être servie par des femmes de chambre personnelles mais il me faut bien reconnaître que cette suite est fort agréable pour une fille de

Mars aux goûts simples et aimant la bonne franquette — moi, en d'autres termes. D'autant que je suis coincée entre quatre murs et que ce n'est pas près de finir. Le médecin du bord, le Dr Torland, m'a fait des tas de piqûres indispensables pour Vénus pendant le voyage — c'est là un sujet désagréable que je préfère passer sous silence — mais je ne suis pas encore prête à pouvoir sortir de Vénusberg, ni même à me promener beaucoup en ville. Dès notre arrivée, le médecin attaché à l'établissement s'est pointé et il s'est amusé à jouer aux échecs sur mon dos avec une plume à vaccin — les blancs jouent et font mat en cinq mouvements. Trois heures plus tard, j'étais couverte de pustules, et il y en avait d'horribles qu'il fallut soigner les unes après les autres.

Clark a réussi à couper à la séance et à la retarder jusqu'au lendemain matin. Je suis à peu près sûre qu'il mourrait de la gale pourpre ou de quelque chose dans le même genre si son karma ne le prédestinait pas aussi clairement à finir sur le gibet. Oncle Tom, lui, refusa les tests. Il était passé par là plus de vingt ans auparavant et, n'importe comment, la mortalité de la chair, proclama-t-il, n'est qu'un produit de l'imagination.

Aussi suis-je condamnée aux délices du Tannhäuser pour les quelques jours à venir. A la rigueur, je peux sortir, mais à condition d'être gantée et masquée, même en ville. Mais tout un mur du salon peut se transformer par commande verbale en scène stéréo. Et on a les spectacles de toutes les boîtes de Vénusberg, enregistrés ou en direct. Je dois dire que cer-

tains de ces spectacles ont élargi mes horizons
de façon incroyable. Surtout en l'absence d'oncle
Tom. Et je commence à réaliser que la culture
de Mars est puritaine dans son essence. Evidemment, il n'y a pas, en réalité, de lois sur Vénus,
juste des règlements de la Compagnie dont aucun
ne semble s'intéresser au comportement des
individus. Mais mon éducation m'a habituée à
croire que la république de Mars est une société
libre. Je suppose que c'est exact. Cependant, il
y a liberté et liberté. Ici, la S.A.R.L. Vénus possède
tout ce qui vaut la peine d'être possédé et a la
haute main sur tout ce qui est susceptible de
rapporter un bénéfice — et à tel point que les
gens de Mars en tomberaient en syncope. J'ai
toutefois le sentiment que les gens de Vénus
tomberaient, eux aussi, en syncope, devant notre
pruderie à nous.

Mais le télécran est loin d'être le seul élé-
ment stupéfiant de l'appartement. Notre suite
est si vaste qu'il y aurait intérêt à se munir
de vivres et de provisions d'eau pour l'explorer
et le salon est d'une telle immensité que l'on
serait en droit de redouter des tempêtes locales.
Ma salle de bains personnelle est, à elle seule,
une véritable suite et elle possède tant de gadgets
qu'il faudrait avoir un sérieux diplôme d'ingénieur avant de se risquer à se laver les mains.
Mais j'ai appris à les faire fonctionner tous et
c'est absolument extraordinaire! Je n'avais
jamais supposé que, depuis ma naissance, je
végétais, privée des nécessités élémentaires.
Jusque-là, mon rêve le plus audacieux, en ce
domaine, avait été de ne pas partager le même
lavabo avec Clark car il aurait été imprudent de

me servir de ma propre eau de Cologne (un cadeau de Noël) sans prendre le soin de vérifier si le flacon ne contenait pas de l'acide nitrique — ou pire encore! Pour Clark, une salle de bains est un labo de chimie auxiliaire. L'hygiène ne l'intéresse qu'accessoirement.

Mais le plus époustouflant, c'est le piano. Non, je ne fais pas allusion à un clavier branché sur une sono : je parle d'un *vrai* piano. A trois pieds. En bois. Enorme. Avec des courbes à la fois maladroites et gracieuses qui ne s'ajustent nulle part. Et qu'on ne peut pas mettre dans un coin. Avec un dessus qui s'ouvre pour vous permettre de voir qu'il y a réellement une harpe à l'intérieur et un mécanisme d'une rare complexité pour la faire marcher.

Je crois que, sur Mars, il n'existe en tout et pour tout que quatre vrais pianos : celui qui est au musée et sur lequel, probablement, personne ne joue; celui de l'Académie Lowell, qui n'a plus de harpe à l'intérieur, rien que des branchements électriques comme n'importe quel autre piano; celui de la Maison Rose (comme si un président avait jamais le temps de jouer du piano!); et celui du Palais des Beaux-Arts sur lequel des artistes en visite font parfois des démonstrations mais je ne les ai jamais entendus. A mon avis, il n'y en a sûrement pas d'autres, sinon les journaux l'annonceraient en gros titres, ne pensez-vous pas?

Celui-ci a été fabriqué par un dénommé Steinway et ça a dû lui prendre sa vie entière, à cet homme. J'ai un peu tapoté dessus, jusqu'à ce que mon oncle me dise d'arrêter. Et je l'ai refermé : en effet, Clark regardait le mécanisme avec intérêt et je l'avertis, gentiment mais fermement, que s'il avait le malheur de poser la main dessus, je lui briserais tous les doigts pendant son sommeil. Il ne m'écoutait pas, mais il sait que ce n'étaient pas des paroles en l'air. Ce piano est voué aux Muses et pas question que notre jeune Archimède le mette en pièces détachées!

Les électroniciens ont beau raconter tout ce qu'ils veulent, il y a une grande différence entre un « piano » et un *vrai* piano. Leurs imbéciles d'oscilloscopes « prouvent » que le son est identique? La belle affaire! C'est exactement la différence qu'il y a entre s'emmitoufler de vêtements chauds et se pelotonner sur les genoux de papa pour avoir, mais alors vraiment! chaud.

Je ne suis pas en résidence surveillée à perpétuité. J'ai fait la tournée des casinos avec Girdie et Dexter Cunha, le fils de Kurt Cunha, le président du conseil d'administration. Girdie nous abandonne. Elle va rester sur Vénus et cela m'attriste.

— Pourquoi? lui ai-je demandé.

Nous étions dans notre grandiose salon. Girdie habite le même Hilton. Sa chambre diffère peu de la cabine qu'elle occupait à bord du *Tricorne* et elle n'est guère plus grande. Sans doute avais-je été assez mesquine pour vouloir l'épater en lui montrant le luxe dans lequel je nageais. Mais j'avais une excuse : j'avais besoin d'elle pour m'aider à m'habiller. Parce que, maintenant, je porte (tremblez!) des vêtements à armatures. Des voûtes plantaires dans mes chaussures et, ici et là, des machins raides destinés à m'empêcher de dégouliner comme une amibe.

Je ne dirai pas le nom que leur donne Clark, car Clark est un garçon grossier, ordurier, pas raffiné pour deux sous et barbare en plus.

J'ai horreur de ces trucs-là, mais sous 0,84 g, ils me sont indispensables en dépit de l'entraînement physique auquel je me suis soumise à bord du *Tricorne*. C'est une raison suffisante pour m'enlever toute envie de vivre sur Vénus ou sur la Terre, même si ces deux planètes sont aussi ravissantes que Mars.

Girdie m'a aidée — d'ailleurs, c'était elle qui avait acheté ces instruments, pour commencer, mais elle m'a aussi fait changer mon maquillage que j'avais copié avec le plus grand soin sur le tout dernier numéro d'*Aphrodite*.

— Allez vous débarbouiller, Poddy, me dit-elle, après m'avoir regardée. Ensuite, on recommencera à zéro.

Je fis la moue et m'exclamai :

— Pas question !

La chose qui m'avait tout de suite le plus frappée était que, sur Vénus, toutes les femmes étaient peinturlurées comme les Peaux-Rouges qu'on voit dans les bandoramas — Maria et Maria elles-mêmes mettent trois fois plus de fard pour travailler que Mère quand elle assiste à une réception officielle... et Mère n'en met pas quand elle travaille.

— Allons, Poddy ! Soyez gentille.

— Mais je suis gentille. Quand j'étais toute gamine, j'ai appris que la politesse consiste à faire ce que font les gens au milieu desquels on se trouve. Alors, regardez-vous dans la glace !

Girdie avait un maquillage de style ultra-

Vénusberg comme celui de tous les modèles de mon magazine.

— Je sais à quoi je ressemble. Mais j'ai le double de votre âge, Poddy, et personne n'imagine que je sois jeune et innocente. Il faut être ce que l'on est et ne jamais faire semblant. Regardez Mme Grew. C'est une vieille dame obèse qui est tout à fait à son aise. Elle ne joue pas les coquettes et sa présence est agréable.

— Vous voulez que je ressemble à une touriste qui sort de son trou?

— Je veux que vous ressembliez à Poddy Fries. Venez, nous allons trouver un moyen terme satisfaisant. Je reconnais que, ici, même les filles de votre âge sont plus maquillées que les femmes sur Mars. Alors, on cherchera un compromis. Au lieu de vous barioler comme une gourgandine de Vénusberg, on va faire de vous une jeune personne de bonne famille, bien élevée, qui a beaucoup voyagé, qui a l'expérience de mœurs et de coutumes divers et variés et qui sait ce qui lui convient sans se laisser influencer par les tics locaux.

Girdie est une artiste, je dois l'avouer. Elle a démarré sur une toile vierge et a travaillé plus d'une heure. Et quand elle a eu fini, personne n'aurait pu croire que j'étais fardée.

Mais j'avais au moins deux ans de plus (des années réelles, des années martiennes, soit environ six années vénusiennes), mon visage était aminci, je n'avais plus le nez en trompette et j'avais l'air aimablement blasé et tolérant. Mes yeux étaient énormes.

— Contente? me demanda-t-elle.

— Je suis belle!

— Eh oui. Parce que vous êtes toujours Poddy. Je me suis bornée à fabriquer l'image de la future Poddy. Celle qui sera la vôtre dans pas longtemps.

Les larmes me montèrent aux yeux et il fallut les essuyer précipitamment et réparer les dégâts.

— Et maintenant, dit Girdie avec animation, il ne nous manque plus qu'un gourdin et votre masque.

— Un gourdin? Pour quoi faire? Et je ne vais pas porter un masque là-dessus.

— Le gourdin ce sera pour chasser les riches actionnaires qui se jetteront à vos pieds. Et vous porterez votre masque, sinon nous ne sortirons pas.

Nous tombâmes d'accord sur une cote mal taillée. Je m'engageai à porter mon masque jusqu'à ce qu'on soit arrivé à destination et Girdie à réparer les éventuels dommages de mon maquillage. Elle me promit en outre de me montrer autant de fois qu'il serait nécessaire la façon de m'y prendre pour me refaire moi-même cette jolie et trompeuse figure.

Les casinos sont sûrs — ou censés l'être. L'air n'est pas seulement filtré et conditionné : il est aussi régénéré en permanence et débarrassé de toutes les traces de pollen, de virus, de suspensions colloïdales et *tutti quanti*. Pour la bonne raison que beaucoup de touristes rechignent à se faire administrer la multitude d'injections immunisantes nécessaires quand on vit vraiment sur Vénus. Mais il ne viendrait pas à l'idée de la Société des Jeux de ne pas faire casquer le touriste. Alors, les Hilton sont sûrs, les casinos sont sûrs et le touriste peut souscrire auprès de la Compagnie une assurance-santé moyennant une prime extrêmement modique. Seulement, il peut échanger cette police contre des jetons quand il le désire. J'ai cru comprendre qu'il est très rare que la Société des jeux ait à verser des dommages et intérêts.

Même dans un taxi, Vénusberg vous agresse l'œil et l'oreille. Je crois à la libre entreprise. Tous les gens de Mars y croient, c'est un article de foi et la principale raison pour laquelle nous ne voulons pas créer une fédération avec la Terre (où nous serions réduits à une minorité de cinq cents contre un). Mais la libre entreprise ne justifie pas qu'on mette à mal vos tympans et vos prunelles chaque fois que vous sortez. Les boutiques ne ferment jamais (je crois que rien ne ferme à Vénusberg) et la pub en couleurs et en stéréo vous accompagne dans le taxi, s'installe sur vos genoux et vous casse les oreilles.

Ne me demandez pas comment se fabrique cette horrible illusion. Je présume que l'ingénieur qui l'a imaginée s'est enfui sur son manche à balai. Un diable rouge d'un mètre de haut surgit entre nous et la vitre nous séparant du chauffeur (il n'y avait pas de récepteur visible) et se mit à nous flanquer des coups de fourche en hurlant d'une voix perçante : « Mettez-vous au Hi-Ho! Tout le monde boit du Hi-Ho! Le Hi-Ho vous apaise. Il provoque l'accoutumance. C'est un dé-li-ce! Défoncez-vous au Hi-Ho! »

Je me recroquevillai contre le dossier de la banquette. Girdie décrocha le téléphone et ordonna au chauffeur :

— Eteignez ce truc, s'il vous plaît.

Le diable rouge pâlit pour devenir un diable

rose, ses exhortations vociférantes ne furent plus qu'un murmure et le chauffeur répondit :

— Je ne peux pas, madame. C'est une concession qui a été louée.

Le diable et le boucan revinrent en force à la charge.

Et j'eus l'occasion de parfaire mes connaissances en matière de pourboire. Girdie sortit un billet de son sac. Rien ne se produisant, elle en ajouta un second. L'image et le son s'atténuèrent à nouveau. Elle glissa les deux coupures à travers une fente et, dès lors, nous ne fûmes plus ennuyées. Certes, le fantôme transparent du diable rouge demeura, de même que sa voix réduite à un soupir agaçant, jusqu'à ce qu'une autre annonce, tout aussi estompée, leur succédât. Mais nous pouvions parler. Les affiches géantes de la rue étaient plus tonitruantes et plus aveuglantes. Je ne comprenais pas comment le chauffeur pouvait piloter, surtout que la circulation était incroyablement dense. Ça roulait frénétiquement, si vite qu'il y avait de quoi provoquer un arrêt du cœur. Pourtant, il déboîtait, coupait les files, changeait de niveau comme s'il allait à l'hôpital en essayant de coiffer la mort au poteau. Quand nous nous immobilisâmes sur le toit du Casino Dom Pedro, j'avais l'impression que la Camarade était à un pas derrière nous.

Je sus plus tard pourquoi ils conduisent comme cela. Les chauffeurs de taxis sont des employés de la Compagnie, comme presque tout le monde. Mais ils ne touchent pas de salaire, ils ont le statut d'employés-entrepreneurs. Chaque jour, ils doivent faire un certain nombre de clients pour payer leur franchise et tout revient à la Compagnie. Au delà d'un kilométrage déterminé, ils partagent leur chiffre d'affaires avec elle. Aussi conduisent-ils comme des fous pour payer leur franchise le plus vite possible et commencer à faire des bénéfices. Et ils continuent de foncer pleine gomme pour maintenir le rendement.

D'après oncle Tom, c'est à peu près pareil sur la Terre sauf que les comptes se font une fois par an et qu'on appelle ça l'impôt sur le revenu.

In Xanadu Kubla Khan a fait construire
Ce palais des plaisirs...

Le Casino Dom Pedro est comme cela. Princier. Somptueux. Exotique. L'arche dominant la porte proclame : TOUTES LES DISTRACTIONS DE L'UNIVERS CONNU. Et si j'en crois les on-dit, c'est peut-être la vérité. Pourtant, nous ne visîtâmes, Girdie et moi, que les salles de jeux.

Je n'ai jamais vu autant d'argent de toute mon existence!

Il y a une pancarte à l'entrée de la section des jeux :

SALUT, LES GOGOS!

Tous les jeux sont honnêtes
La maison touche un pourcentage sur tous les jeux
Vous NE POUVEZ PAS gagner!
Entrez donc et amusez-vous
(Nous vous le prouverons)
Chèques et cartes de crédit acceptés
Petits déjeuners gratuits
Vous serez gratuitement reconduits à votre Hilton
Quand vous serez lessivés.

Votre hôte DOM PEDRO

— Y a-t-il vraiment quelqu'un qui s'appelle Dom Pedro? demandai-je à Girdie.

Elle haussa les épaules.

— C'est un employé de la maison et ce n'est pas son vrai nom. Mais il ressemble à un empereur. Je vous le montrerai. Si vous voulez, je vous le présenterai et il vous baisera la main. C'est une chose qui devrait vous plaire. Venez.

Elle se dirigea vers les tables de roulette. Moi, j'essayais de tout voir à la fois. J'avais l'impression d'être dans un kaléidoscope. Des gens merveilleusement habillés (des employés de la maison pour la plupart), des gens vêtus de toutes les façons depuis la tenue de soirée jusqu'au bermuda (les bermudas étaient dans leur écrasante majorité des touristes), des lumières éclatantes, de la musique syncopée, des clic-clac, des froufrous, des tap-tap, des tentures fastueuses, des gardes armés en uniforme d'opérette, des plateaux chargés de breuvages et de nourritures, une ambiance d'excitation nerveuse et, partout, de l'argent... Je m'arrêtai si brutalement que Girdie en fit autant. Clark! Il était assis devant une table en demi-lune où une fort jolie femme distribuait les cartes. Devant lui s'alignaient plusieurs hautes piles de plaques et un tas imposant de billets.

Je n'aurais pas dû être étonnée. Si vous vous figurez qu'un garçon de six ans (de dix-huit ans, si l'on compte en années locales) n'a pas le droit de jouer à Vénusberg, c'est que vous n'avez jamais mis les pieds sur Vénus. Oubliez Marsopolis. Ici, il n'y a que deux conditions pour jouer : a) être vivant, b) avoir de l'argent.

Nul besoin de parler portugais, l'ortho ni aucune langue connue. Aussi longtemps que vous êtes capable de hocher la tête, de cligner de l'œil, de gargouiller ou d'agiter un tentacule, ils prennent vos mises. Et votre chemise.

Non, je n'aurais pas dû être surprise. L'argent attire Clark exactement comme une électrode attire les ions. Je comprenais maintenant où il avait disparu le premier soir et où il allait la plupart du temps.

Je m'approchai et lui tapai sur l'épaule. Il ne tourna même pas la tête mais un homme surgit du tapis comme un génie d'une lampe et m'empoigna par le bras.

— Cartes, dit Clark.

Enfin, il tourna la tête.

— Salut, frangine. Tout va bien, Joe. C'est ma sœur.

— Il n'y a pas de danger? demanda l'autre d'une voix dubitative sans lâcher mon bras.

— Mais non, elle est inoffensive. Je te présente Josie Mendoza, un flic de la Compagnie, Poddy. Je l'ai loué pour la nuit. Bonsoir, Girdie! (Il y avait soudain une note d'enthousiasme dans la voix de mon frère :) Joe, prenez ma place et surveillez l'oseille. C'est drôlement chouette, Girdie! Vous voulez jouer au black jack? Je vous cède ma chaise.

(Ce devait être l'amour. Ou alors, il avait la fièvre.)

Girdie lui expliqua que son intention était d'aller à la roulette.

— Vous voulez que je vous assiste? lui proposa-t-il passionnément. La roulette, j'en connais aussi un rayon.

Elle lui expliqua gentiment qu'elle n'avait pas besoin d'assistance parce qu'elle avait une martingale et lui promit qu'elle le reverrait plus tard. C'est incroyable la patience que Girdie peut avoir avec Clark. J'aimerais...

Réflexion faite, elle est d'une patience incroyable avec moi également.

Peut-être avait-elle une martingale mais ce n'était pas convaincant. Nous trouvâmes deux tabourets côte à côte et elle tint à me donner quelques plaques. Je lui dis que je ne voulais pas jouer. Dans ce cas, me répondit-elle, il fallait que je reste debout. Considérant ce que 0,84 g est capable de faire à mes pauvres pieds, j'achetai une poignée de plaques de mes propres deniers et m'appliquai à faire exactement comme elle, à savoir placer la mise minimale sur les couleurs, les pairs et les impairs. De cette façon, on ne gagne pas, mais on ne perd pas non plus — sauf que, une fois de temps en temps, la petite boule échoue dans le zéro et il n'y a plus qu'à faire une croix sur sa mise. (C'est le « pourcentage de la maison » annoncé à l'extérieur.)

Le croupier ne fut pas dupe, mais comme ce n'était pas contraire au règlement, il ne protesta pas. Je découvris tout de suite que les verres et les amuse-gueule qui circulaient étaient absolument gratuits — pour tous ceux qui jouaient. Girdie prit du vin. Moi, je ne touche pas à l'alcool, même pour mon anniversaire — et je n'allais évidemment pas boire du Hi-Ho après cette insupportable publicité! Je grignotai deux ou trois sandwiches et demandai un verre de lait. Ils furent bien forcés d'aller me le chercher. Je laissai le même pourboire que Girdie.

Nous étions là depuis plus d'une heure et il me restait encore trois ou quatre plaques quand je changeai de position et, ce faisant, heurtai le verre qu'un monsieur qui se trouvait derrière moi tenait à la main. Le contenu se répandit sur lui et m'éclaboussa en partie.

— Mon Dieu! m'exclamai-je en sautant à bas de mon tabouret.

M'armant de mon mouchoir, je m'efforçai d'éponger les taches.

— Je suis terriblement désolée!

Il s'inclina.

— Il n'y a pas de mal. Ce n'était que du soda. Mais j'ai bien peur d'avoir abîmé par ma maladresse la robe de votre seigneurie.

— Attention! me lança à mi-voix Girdie.

Mais, sourde à cet avertissement, je répondis :

— Cette robe? Allons donc! Si ce n'était que de l'eau, dans dix minutes, il n'y aura plus une tache ni un faux pli. C'est un vêtement de voyage.

— Vous visitez donc notre ville? Alors, permettez-moi de me présenter de façon plus protocolaire qu'en vous aspergeant.

Il me tendit sa carte. Girdie faisait la tête mais ce garçon me plaisait assez. Il n'était peut-être pas tellement plus vieux que moi. (Je lui donnais douze ans, soit trente-six selon le calendrier vénusien. Je découvris par la suite qu'il n'en avait que trente-deux.) Il avait une tenue de soirée très élégante avec cape, stick et cravate pigeonnante. Et la plus ravissante paire de moustaches cirées qui soit.

Je jetai un coup d'œil sur la carte et lus :
DEXTER KURT CUNHA

Je la relus et murmurai : « Dexter *Kurt* Cunha...
Etes-vous apparenté à...

— C'est mon père.

— Mais je le connais!

Sur ce, je lui tendis la main.

Vous a-t-on déjà baisé la main? Cela vous fait
des frissons qui vous grimpent dans le bras jusqu'aux épaules pour redescendre dans l'autre.
Naturellement, sur Mars, personne ne fait ça.
C'est une lacune manifeste que j'entends corriger, même si je dois soudoyer Clark pour qu'il
institue cette coutume sur notre planète.

A peine eûmes-nous échangé nos noms que
Dexter nous invita à souper et à danser sur la
terrasse. Mais Girdie fit sa mauvaise tête.

— C'est une très belle carte de visite, monsieur Cunha, dit-elle. Mais je suis responsable
de Podkayne vis-à-vis de son oncle et je préférerais voir votre carte d'identité.

L'espace d'une seconde, Dexter parut se figer.
Puis il lui adressa un chaleureux sourire et leva
la main :

— Je peux faire mieux.

Un vieux monsieur, le plus impressionnant
que j'eusse jamais vu, se précipita. A en juger
par les médailles qui bringuebalaient sur sa poitrine, il avait gagné tous les concours d'ortho-
graphe depuis l'école élémentaire. Il avait une
allure royale et ses vêtements étaient incroyables.

— Qu'y a-t-il pour votre service, sociétaire?

— Dom Pedro, auriez-vous l'obligeance de
dire à ces dames qui je suis?

— Avec le plus grand plaisir.

Il apparut que Dexter était réellement Dexter
et j'eus droit à un second baisemain. Dom Pe-

dro opéra avec beaucoup de panache mais l'effet ne fut pas tout à fait le même. Je ne pense pas qu'il y ait mis autant de cœur que Dexter.

Girdie tint absolument à ce qu'on prenne le temps de chercher Clark et mon frère souffrit pendant un moment atroce d'une crise de schizophrénie spontanée, car il était encore en train de gagner. Mais l'amour fut victorieux et Girdie s'éloigna à son bras, Josie fermant la marche avec ses gains. Je dois avouer que j'admire Clark par certains côtés. Sacrifier quelque argent pour assurer la protection des sommes qu'il avait gagnées avait sûrement été plus déchirant pour lui que de quitter la table de jeu alors qu'il raflait tout.

Le jardin suspendu s'appelle le salon brésilien et il est encore plus somptueux que le casino proprement dit. Comme son nom l'indique, son plafond est un ciel nocturne où l'on voit des étoiles, la Voie lactée et la Croix du sud comme personne ne les a, en fait, jamais vues d'aucun point de Vénus depuis que le monde est monde. Les touristes qui attendaient d'entrer étaient parqués en rangs d'oignons derrière une corde de velours. Mais pas nous! Avec des « par ici, s'il vous plaît, sociétaire », on nous cornaqua jusqu'à une table surélevée à côté de la scène, juste en face de l'orchestre, avec vue imprenable sur le spectacle.

Nous dansâmes et nous mangeâmes des choses que je n'avais jamais goûtées encore. Je ne dis rien quand on me servit du champagne, mais m'abstins de le boire, car les bulles me montent au nez. J'aurais préféré un verre de lait ou, au moins, d'eau, car certains de ces amuse-gueule étaient tout ce qu'il y a d'épicé, mais je n'osais pas réclamer.

Or, Dexter se pencha vers moi et dit :

— Poddy, je sais par mes espions que vous aimez le lait.

— C'est la vérité.

— Moi aussi. Mais je suis trop timide pour en commander si je n'ai pas quelqu'un pour m'épauler.

Il leva le doigt et deux verres de lait apparurent instantanément. Toutefois, je remarquai qu'il touchait à peine au sien. Mais ce fut plus tard que je me rendis compte que j'étais victime d'un coup monté. Une des chanteuses, une grande fille basanée, très belle, habillée comme une tzigane — à supposer que les tziganes aient jamais été accoutrées de cette façon, ce dont je doute, mais elle était présentée sous le nom de Rose la Romani — se mit à faire le tour des tables entourant la scène en chantant une chanson populaire sur des paroles mises au goût du jour. Elle s'arrêta devant nous, me regarda droit dans les yeux, sourit, frappa un accord sur son instrument et entonna :

Elle est venue chez nous, Poddy,
Poddy la belle et la jolie,
Chaussée d'argent, de bleu ciel vêtue,
Chez nous Poddy s'en est venue.

Par l'océan constellé, elle a navigué.
Versez à boire, amis, versez!
Heureux Dexter, heureuse journée.
Buvez, buvez à sa santé.

Les applaudissements crépitèrent, Clark tapa sur la table à coups de poing, Rose la Romani

149

me fit une révérence, je commençai à pleurer, me cachai la figure derrière mes mains, me rappelai brusquement qu'il ne fallait pas que je pleure à cause de mon maquillage, me tapotai les paupières avec ma serviette en faisant des vœux pour qu'il ne soit pas détérioré et, brusquement, des seaux à champagne en argent surgirent sur toutes les tables. Tout le monde me porta un toast! Les gens se levèrent quand Dexter se leva dans le brusque silence succédant au solo de batterie et aux accords de la section cordes.

J'étais incapable de prononcer un mot. Je hochai la tête en essayant de sourire, me rappelant que, moi, je devais rester assise. Dexter me regarda...

...et il fracassa son verre exactement comme dans les feuilletons. Tout le monde l'imita et, pendant quelques instants, on n'entendit plus que des tintements de verre brisé.

Après, quand mon estomac eut réussi à réintégrer sa place légitime et qu'il me fut possible de me mettre debout sans trembler, je dansai de nouveau avec Dexter. C'est un merveilleux partenaire. Il guide d'une main sûre et ferme et, avec lui, ça ne devient jamais un match de lutte. Comme nous tournoyions au rythme d'une valse lente, je lui demandai :

— Dexter, c'est volontairement que vous avez renversé ce verre d'eau sur moi, n'est-ce pas?

— Oui. Comment le savez-vous?

— Parce que j'ai une robe bleue. La couleur qu'on appelle « bleu ciel » sur la Terre, bien que je n'ai jamais vu un ciel de cette teinte. Et j'ai des chaussures argentées. Donc cela n'a pas pu être un accident.

Il sourit mais sans avoir le moins du monde l'air penaud.

— Pas entièrement. Je suis passé à votre Hilton. Il m'a fallu près d'une demi-heure pour savoir où vous étiez partie et avec qui. J'étais furieux parce que papa aurait été affreusement vexé. Mais j'ai quand même fini par vous trouver.

Je méditai là-dessus. Décidément, cela ne me plaisait pas tellement.

— Vous avez donc fait cela parce que votre papa vous l'avait dit. Il vous a chargé de me distraire parce que je suis la nièce d'oncle Tom?

— Non, Poddy.

— Comment? Vous devriez vérifier les circuits parce que c'est ce qui apparaît dans le voyant.

— Non, Poddy, répéta-t-il. Jamais papa ne m'aurait ordonné de distraire une dame autrement que de façon protocolaire, au chalet... lui donner le bras pour la faire passer à table et autres choses du même genre. Il m'a seulement montré une photo de vous et m'a demandé si je voulais être votre cavalier. J'ai décidé que je le voulais. Mais ce n'était pas une très bonne photo. Elle ne vous rendait pas justice. Elle avait été prise à votre insu par une femme de chambre du Tannhäuser.

(Il va falloir que je trouve un moyen de me débarrasser de Maria et Maria. Une jeune fille a besoin d'intimité. Encore que le résultat n'ait pas été trop pénible.)

Mais Dexter n'avait pas fini :

— ... et quand je vous ai trouvée, c'est à peine si je vous ai reconnue. Vous étiez infiniment plus époustouflante que sur la photo. J'ai presque hésité à me présenter. Et puis, j'ai eu cette idée formidable de simuler un accident. Je suis resté si longtemps derrière vous, à toucher votre coude, qu'il n'y avait pour ainsi dire plus de bulles dans mon eau gazeuse. Enfin, vous avez bougé mais le heurt a été si léger que j'ai été forcé de pencher mon verre pour que ça ait vraiment l'air d'un accident et que je puisse vous présenter mes excuses.

Il eut un sourire absolument désarmant.

— Je vois. Mais cette photo était probablement très bonne, Dexter. Ce que vous avez devant les yeux n'est pas mon vrai visage.

Et je lui expliquai ce que Girdie avait fait de mon minois.

Il haussa les épaules.

— Vous n'aurez qu'à vous débarbouiller, un de ces jours, pour me montrer la vraie Poddy. Je parie que je la reconnaîtrai. J'ajouterai que l'accident en question n'a été qu'à demi fortuit. Nous sommes à égalité.

— Que voulez-vous dire?

— On m'a appelé Dexter en l'honneur de mon grand-père maternel avant de s'apercevoir que j'étais gaucher. D'où le dilemme : ou me rebaptiser « Sinister », ce qui ne sonne pas tellement bien — ou me rendre droitier. Mais cela n'a pas marché non plus. A présent, je suis l'homme le plus maladroit des trois planètes. (Et c'était pendant que nous décrivions un « huit » qu'il me disait ça!) Je passe mon temps à tout renverser et à me heurter dans tout. On peut me suivre à la trace rien qu'en se fiant au fracas des objets fragiles. Le problème n'était pas de créer l'incident mais de ne pas renverser mon verre avant le moment propice. (Il me décocha à nouveau un sourire espiègle :) Pour moi, cette réussite est un triomphe. Seulement, en faisant de moi un gaucher contrarié, ils ont abouti à me transformer en rebelle. Et je pense que vous êtes une rebelle, vous aussi.

— Euh... peut-être.

— J'en suis sûr. Théoriquement, je devrais être un jour le président du conseil d'administration, comme papa et comme mon grand-père. Mais je ne le serai jamais. Je prendrai l'espace.

— Oh! Moi aussi!

Nous nous arrêtâmes de danser pour parler de l'espace. Dexter veut être capitaine explorateur, tout comme moi. Je m'abstins, cependant, de lui préciser que j'envisageais d'être également pilote et maître de bord. Il n'est pas recommandé quand on a affaire à un garçon de lui avouer que l'on s'estime capable de faire quelque chose qu'il peut faire mieux que vous ou qu'il souhaite follement faire. En tout cas, il a l'intention d'aller à Cambridge étudier la paramagnétique et la mécanique de Davis pour être fin prêt en même temps que les premiers véritables astronefs. Seigneur!

— On pourra peut-être même faire équipe ensemble, Poddy. Il y a des tas de postes pour les femmes à bord des navires.

J'en convins.

— Mais parlons de vous, enchaîna-t-il. Voyezvous, Poddy, ce n'était pas seulement le fait que vous étiez beaucoup plus belle qu'en photographie.

— Ah bon?

J'éprouvai une vague déception.

— Non. Je connais votre passé, je sais que vous n'avez jamais quitté Marsopolis. Moi, j'ai été partout. On m'a envoyé à l'école sur la Terre, j'en ai profité pour faire le grand Circuit, j'ai naturellement été sur Luna et j'ai sillonné Vénus et Mars. Vous étiez une petite fille, à l'époque, et je regrette de ne pas vous avoir rencontrée.

— Merci.

Je commençai à me sentir dans la peau d'une parente pauvre.

— Aussi je sais fort bien ce qu'une ville comme Vénusberg a de tapageur et de vulgaire, je sais que les gens qui s'y rendent pour la première fois reçoivent un choc. Surtout quelqu'un qui a été élevé dans un endroit distingué et civilisé comme Marsopolis. Oh! J'aime ma ville mais je ne me fais pas d'illusions. J'ai été ailleurs. Poddy... regardez-moi. Savez-vous ce qui m'a impressionné en vous? Votre sang-froid.

— Moi?

— Votre stupéfiant, votre parfait savoir-faire dans un environnement qui ne vous était pas familier. Votre oncle a traîné ses bottes un peu partout et Girdie également, je suppose. Mais, ici, des quantités d'étrangers, de femmes plus âgées que vous, sont pris de vertige en mettant les pieds pour la première fois dans les cabarets osés de Vénusberg et se conduisent de façon épouvantable. Alors que, vous, vous avez un port de reine. Le savoir-faire!

(Ce qu'il pouvait être sympathique, ce garçon! Quand, pendant des années et des années on vous a cassé les oreilles avec des « Fiche-moi le camp, gamine! », ça vous fait quelque chose de s'entendre dire qu'on a du savoir-faire.

154

Je négligeai même de me demander si Dexter répétait la même chose à toutes les filles — je ne voulais pas me poser la question!)

Nous ne tardâmes pas à partir. Girdie fit clairement comprendre à tout le monde qu'il était nécessaire pour mon teint que j'aille dormir. Clark regagna donc la salle de jeu. (Josie surgit du néant à la seconde précise et l'idée me vint de conseiller à mon frère de rentrer, lui aussi, mais je n'en fis rien car ce n'aurait pas été du « savoir-faire » et, d'ailleurs, il ne m'aurait pas écoutée.) Et Dexter nous raccompagna au Tannhäuser dans la Rolls de son papa (c'était peut-être la sienne, je ne sais pas). Il s'inclina pour nous baiser la main avant de nous laisser.

Je me demandai s'il aurait essayé de m'embrasser vraiment pour me dire bonsoir si j'avais décidé de me montrer coopérative. Mais il n'essaya pas. Peut-être n'est-ce pas la coutume à Vénusberg, je n'en sais rien.

Girdie monta avec moi parce qu'elle voulait bavarder. Je me laissai rebondir sur le lit et m'exclamai :

— Oh! Girdie, c'est la plus merveilleuse soirée de ma vie!

— Pour moi non plus, elle n'a pas été mauvaise, répondit-elle d'une voix tranquille. Avoir fait la connaissance du fils du président du conseil d'administration ne peut certainement pas être nuisible.

Et c'est alors qu'elle m'annonça qu'elle restait sur Vénus.

— Mais pourquoi, Girdie? m'écriai-je.

— Parce que je suis fauchée, mon petit. J'ai besoin de travailler.

— Vous? Mais vous êtes riche! Tout le monde le sait.

Elle sourit.

— Je l'étais mais mon dernier mari a tout croqué. C'était un optimiste et un excellent compagnon mais il était loin d'être l'homme d'affaires qu'il se figurait être. Aussi, Girdie doit maintenant serrer les dents et se mettre à travailler. Et, pour ça, Vénusberg est préférable à la Terre. Là-bas, j'aurais été réduite à parasiter mes vieux amis jusqu'à ce qu'ils en aient assez — l'invité chronique, vous savez? — ou m'arranger pour que l'un d'eux me trouve un emploi, ce qui aurait été de la charité pure et simple puisque je ne sais rien faire. L'autre solution était de disparaître et de changer de nom. Ici, tout le monde s'en moque et il y a toujours du travail pour quelqu'un qui en veut. Je ne bois pas et je ne joue pas. Vénusberg est faite sur mesure pour moi.

— Mais que ferez-vous?

Il était difficile de l'imaginer autrement que sous les traits de la fille de la bonne société dont, même sur Mars, les réceptions et les fredaines faisaient jaser.

— Devenir croupier, j'espère. Ce sont eux qui gagnent le plus et j'ai étudié la question. Je me suis aussi entraînée à servir — au baccara, au trente-et-quarante, au chemin-de-fer. Mais il faudra sans doute que je commence comme changeuse.

— Comme changeuse? Mais, voyons, Girdie... Vous vous habilleriez comme ça?

Elle haussa les épaules.

— Physiquement, je tiens encore assez bien

le coup. Et je suis très rapide pour compter l'argent. C'est un travail honnête, Poddy. Il le faut bien : les changeuses ont souvent jusqu'à dix mille unités sur leur plateau.

Comprenant que j'avais gaffé, je me tus. Marsopolis vous reste chevillée au corps. Ces changeuses ne portent pratiquement rien sur elles en dehors de leur plateau à sous. Mais c'était indéniablement un travail honnête et, pour ce qui est du physique de Girdie, tous les jeunes officiers du *Tricorne* tournaient autour d'elle en battant des ailes. Je suis convaincue qu'elle aurait pu épouser n'importe lequel d'entre eux, à condition qu'il fût célibataire et assurer ainsi ses vieux jours sans effort. N'est-il pas plus honnête de travailler? Et, dans cette hypothèse, pourquoi n'aurait-elle pas tiré avantage de ses atouts?

Finalement, elle m'embrassa et m'ordonna de me coucher tout de suite et de dormir. Sur le premier point, j'obéis. Mais quant à dormir... Eh bien, elle ne resterait pas longtemps changeuse. Elle serait croupier et aurait une merveilleuse robe du soir. Elle économiserait sur son salaire et ses pourboires et, un jour, elle serait actionnaire — elle aurait en tout cas une part, ce qui est amplement suffisant pour assurer ses vieux jours à la Compagnie. Et, quand je serai célèbre, je reviendrai lui rendre visite.

Je me demandai si je pourrais prier Dexter de dire un mot en sa faveur à Dom Pedro.

Sur ce, je me mis à penser à Dexter... Ça ne peut pas être de l'amour, je le sais. Il m'est arrivé une fois d'être amoureuse et c'est totalement différent. On souffre.

Or, j'ai l'impression de planer.

10

Il paraît que Clark est en pourparlers pour me vendre (au marché noir, bien entendu) à l'un des concessionnaires qui expédient des épouses aux colons sous contrat en pleine brousse. C'est ce qu'on raconte. J'ignore si c'est la vérité mais il y a des bruits qui courent.

Ce qui me fait voir rouge, c'est que, à ce qu'on dit, il me propose à un prix ridiculement bas!

Mais, en toute sincérité, c'est précisément ce fait qui me convainc qu'il ne s'agit que d'une rumeur soigneusement répandue par Clark lui-même pour m'embêter. En effet, si je le crois parfaitement capable de me vendre comme un bien meuble et de me livrer à une vie d'opprobre s'il peut être sûr de l'impunité, il ne fait aucun doute qu'il retirerait de cette transaction sordide le bénéfice maximum sans faire grâce d'un sou. Je pense, et c'est beaucoup plus vraisemblable, qu'il souffre d'un grave traumatisme émotionnel depuis le soir où il s'est déboutonné et a eu une attitude presque humaine envers moi. En conséquence, il lui est indispensable de réagir en répandant une telle rumeur afin de ramener nos rapports sur le plan normal et sain de la guerre froide.

En fait, je ne crois pas qu'il pourrait faire affaire, même au marché noir, parce que je n'ai pas de contrat avec la Compagnie et que, s'il en fabriquait un faux, je pourrais toujours me débrouiller pour faire parvenir un message à Dexter. Et il le sait bien. D'après Girdie, le marché noir des épouses affecte essentiellement les changeuses, les employées et les femmes de chambre des Hilton qui n'ont pas réussi à mettre le grappin sur un mari à Vénusberg (où il y a pénurie d'hommes); elles sont toutes disposées à coopérer avec les trafiquants pour être vendues (là où il y a pénurie de femmes) afin de rompre leur contrat. Elles la bouclent et la Compagnie ferme les yeux.

Je ne comprends pas — je ne comprends strictement rien à la façon dont fonctionne cette planète. Il n'existe pas de lois, juste les règlements de la Compagnie. Vous voulez vous marier? Trouvez quelqu'un qui se prétend prêtre ou pasteur et choisissez la cérémonie qui vous plaît, mais votre mariage n'aura aucune valeur légale, car ce n'est pas un contrat souscrit avec la Compagnie. Vous voulez divorcer? Faites vos paquets et filez en laissant une lettre ou en n'en laissant pas, à votre guise. Des enfants illégitimes? Connais pas! Un bébé est un bébé et la Compagnie veillera à ce qu'il ne manque de rien parce qu'il grandira, qu'il deviendra un de ses employés et qu'il y a une pénurie de main-d'œuvre chronique sur Vénus. Vous êtes pour la polygamie, pour la polyandrie? Tout le monde s'en moque. A commencer par la Compagnie. Mais ne vous risquez pas à commettre des agressions. Il n'y a pas, dans tout le système, de ville où la paix publique est mieux assurée qu'à Vénusberg : la criminalité, c'est mauvais pour les affaires. Si bien que je la connaisse, il y a des quartiers de ma Marsopolis natale où je ne m'aventure pas seule parce que quelques-uns de nos vieux rats du désert ont attrapé un coup de bambou et ne sont pas vraiment responsables mais je suis parfaitement en sécurité n'importe où à Vénusberg. Le seul risque d'agression vient des super-commerçants.

(La brousse, c'est une autre paire de manches. Le danger vient moins des gens que de Vénus elle-même — et le hasard peut toujours vous faire rencontrer un Vénérique qui a réussi à mettre la main sur une pincée de poudre de vertige. Même les petites fées ailées sont sanguinaires quand elles en consomment.)

Le meurtre? C'est une très grave infraction aux règlements. Mais vraiment très grave. Votre salaire sera bloqué pendant des années sans nombre pour compenser, d'une part le pouvoir d'achat perdu de l'employé pendant le reste de son existence active, d'autre part sa valeur putative pour la Compagnie, le tout étant calculé par les actuaires de celle-ci qui, la chose est notoire, ont simplement des pompes à hélium liquide à la place de cœur.

Aussi, si vous songez à tuer quelqu'un sur Vénus, n'en faites rien, je vous en conjure! Trouvez plutôt le moyen d'attirer le sujet sur une planète où l'assassinat n'est qu'un problème social et où l'on se contentera de vous pendre, par exemple. Le crime de sang est sans avenir sur Vénus.

Franchement, je continue à ne pas comprendre comment fonctionne le système, bien que l'oncle Tom me l'ait expliqué avec beaucoup de patience. Il est vrai qu'il affirme ne pas le comprendre, lui non plus. Il le qualifie de « fascisme commercial » — ce qui ne signifie rien — et il s'avoue incapable de dire si c'est la tyrannie la plus sinistre qu'ait jamais connue la race humaine — ou la démocratie la plus parfaite de l'histoire.

Il soutient que les conditions qui prévalent sur Vénus sont meilleures par bien des côtés que celles que connaissent quatre-vingt-dix pour cent des Terriens et que, du point de vue du confort et du niveau de vie, beaucoup de gens sur Mars ne sont pas mieux lotis, en particulier les rats des sables, même si nous ne laissons jamais sciemment personne mourir de faim ou privé de soins médicaux.

Je ne comprends pas, c'est tout. Je m'aperçois, à présent, que j'ai toujours admis sans me poser de questions que la méthode martienne était la seule valable. Oh! Bien sûr, j'avais entendu parler d'autres systèmes, à l'école, mais c'était resté superficiel. Maintenant, je commence à saisir émotionnellement qu'il y a d'autres modes de vie que le nôtre et que les gens peuvent être heureux quand même. Prenez Girdie, par exemple. Je comprends pourquoi elle n'a pas voulu rester sur la Terre après le changement de situation personnelle qui est intervenu mais elle aurait pu s'établir sur Mars. Elle fait partie de ces immigrants de haut vol que nous souhaitons attirer. Mais Mars ne la tente absolument pas.

Cela me tracasse parce que (comme vous l'avez peut-être deviné), Mars est à mes yeux proche de la perfection. Et Girdie aussi. Or, c'est un endroit odieux comme Vénusberg qu'elle a choisi! Elle appelle cela un défi.

Par-dessus le marché, oncle Tom estime qu'elle a tout à fait raison, que Vénusberg lui mangera dans la main en deux temps trois mouvements et qu'elle deviendra actionnaire avant qu'on ait le temps de prononcer le mot « superdividende ».

Il n'a sans doute pas tort. J'ai été affreusement triste quand j'ai découvert que Girdie était ruinée. « Je pleurais parce que je n'avais pas de chaussures, jusqu'au jour où je rencontrai un homme qui n'avait pas de pieds. » Vous connaissez?

Moi, je n'ai jamais été fauchée, je n'ai jamais manqué un repas, je ne me suis jamais fait de bile pour l'avenir. N'empêche que je m'apitoyais sur la pauvre petite Poddy quand il y avait une soudure difficile à la maison et que je ne pouvais pas m'offrir une nouvelle robe. Et puis, j'ai appris que Mlle Fitz-Snugglie (je continue à me refuser à lui donner son véritable nom, ce serait déloyal) ne possédait que son billet de retour pour la Terre et qu'elle avait emprunté pour l'acheter. J'étais tellement triste que j'en avais mal.

Mais je commence à réaliser que, en toute hypothèse, Girdie, elle, a des « pieds » — et qu'elle retombera toujours dessus.

Elle a effectivement travaillé deux jours comme changeuse — et elle m'a demandé de me débrouiller pour que Clark n'aille pas au casino de Dom Pedro ces soirs-là. Je pense qu'il lui est égal qu'il la voie ou qu'il ne la voie pas mais elle sait qu'il est amoureux fou et elle est tellement gentille, tellement bonne qu'elle ne veut pas aggraver les choses ni risquer de le scandaliser. Les deux, peut-être.

Mais maintenant, elle fait la donne et elle prend des leçons pour être croupier. Et Clark va au casino tous les soirs. Seulement, il n'est pas question qu'il joue à sa table. Elle l'a prévenu sans mâcher ses mots qu'il fallait faire un choix : ou ils se fréquentaient sur le plan mondain ou ils se fréquentaient sur le plan professionnel. Les deux, ce n'était pas possible. Mon frère ne discute jamais l'inévitable. En conséquence, il joue à une autre table et il lui colle aux talons chaque fois que c'est possible.

A votre avis, ce gamin possède-t-il effectivement des dons para-psychologiques? Je sais, en tout cas, qu'il n'est pas télépathe — sinon, il y a belle lurette qu'il m'aurait tranché la gorge. N'empêche qu'il n'arrête pas de gagner.

Dexter m'a affirmé catégoriquement que : a) les jeux sont absolument honnêtes et que : b) personne ne peut battre le casino à long terme parce que, n'importe comment, l'établissement prend son pourcentage.

— Vous pouvez indiscutablement gagner, Poddy, m'a-t-il assuré. L'année dernière, nous avons eu un touriste qui est reparti avec plus d'un million. Nous l'avons payé avec le plus grand plaisir — et on a fait de la publicité sur toute la Terre. Pourtant, nous avons gagné de l'argent la semaine même où il est devenu riche. N'imaginez pas que nous accordons un répit à votre frère. S'il continue comme ça assez longtemps, non seulement nous rattraperons nos pertes, mais encore toutes ses mises de départ et ses derniers dollars. S'il est aussi malin que vous le dites, il abandonnera avant. Mais la plupart des gens ne sont pas assez malins et la Compagnie ne joue qu'à coup sûr.

Je le répète encore : je ne sais pas. Mais c'est

à cause de Girdie et de ses victoires au jeu que l'attitude de Clark envers moi est devenue presque humaine. Pendant quelque temps.

C'était l'autre semaine, le soir où j'avais fait la connaissance de Dexter. Girdie m'avait dit de me coucher, je m'étais couchée mais je ne pouvais pas dormir et j'avais laissé ma porte ouverte pour entendre Clark rentrer. Ou, si je ne l'entendais pas rentrer, pour téléphoner à quelqu'un afin qu'on le fasse rappliquer, parce que si oncle Tom est responsable de nous deux, je suis, comme je l'ai toujours été, responsable de Clark. Je voulais qu'il soit au lit avant que le tonton ne se lève. Question d'habitude, probablement.

Il est rentré en tapinois deux heures plus tard. Je lui ai fait *psst* et il est venu dans ma chambre.

Un garçon de six ans avec tant d'argent, on n'a jamais vu ça! Josie l'avait raccompagné, me dit-il. Ne me demandez pas pourquoi il n'avait pas mis tout cet argent dans le coffre du Hilton. Ou plutôt, si, demandez-le-moi : je crois qu'il voulait le dorloter.

En tout cas, il avait envie de fanfaronner. Il disposa les billets en tas sur mon lit et se mit à les compter avec ostentation pour que je sache combien cela faisait. Il a même poussé une pile de coupures vers moi.

— Tu as besoin d'un peu d'argent, Poddy? Je ne te prendrai même pas d'intérêt. Il y en a encore plus que ça à la source.

J'en eus le souffle coupé. Pas à cause de l'argent, je n'en ai pas besoin, mais à cause de cette offre. Il était déjà arrivé à Clark de me prêter de l'argent et, quand je touchais ma semaine, il me réclamait exactement cent pour cent d'intérêt. Jusqu'au jour où papa l'a pris sur le fait et nous a flanqué une fessée à tous les deux.

Aussi, je le remerciai d'un cœur sincère et le serrai dans mes bras.

— Dis donc, Poddy, à ton avis, quel âge peut avoir Girdie? me demanda-t-il alors.

Je commençai à comprendre le pourquoi de ce comportement inhabituel.

— Comment veux-tu que je le devine? lui répondis-je avec circonspection. (Comme si j'avais besoin de le deviner! Je le savais.) Tu n'as qu'à le lui demander.

— Je l'ai fait. Elle s'est contentée de sourire et a répliqué que les femmes n'ont pas d'anniversaires.

— C'est sans doute une coutume terrienne. Explique-moi un peu, enchaînai-je en changeant de sujet, comment tu as fait pour gagner autant d'argent.

— C'est enfantin. Dans tous les jeux, il y a quelqu'un qui gagne et quelqu'un qui perd. Je m'arrange pour être le gagnant, c'est tout.

— Mais comment?

Il se borna à me décocher son sourire le plus pervers.

— Combien avais-tu au départ, Clark?

Il prit soudain un air méfiant, mais encore tellement empreint de bonhomie, compte tenu du personnage, que j'insistai :

— Si je te connais bien, tu ne pourras être pleinement satisfait que si quelqu'un le sait et autant que ce soit moi : tu courras moins de risques. Est-ce que je t'ai jamais cafardé?

Son silence valait affirmation. Parce que c'était vrai. Quand il était petit, il m'arrivait de lui flanquer une taloche à l'occasion mais je n'avais jamais rapporté. Maintenant, il est beaucoup trop dangereux de lui flanquer des taloches parce qu'il est plus rapide que moi, et de loin. Mais, je le répète, je ne l'ai jamais cafardé.

— Allez, vas-y! Il n'y a qu'avec moi que tu peux te permettre de crâner. Alors, combien t'a-t-on filé pour fourrer trois kilos d'excédent de bagage dans mes valises?

— Une somme suffisante, répondit-il sur un ton avantageux.

— Bon, je n'insisterai pas davantage là-dessus. Mais qu'est-ce que tu as passé? J'avoue que tu m'as eue sur toute la ligne.

— Tu l'aurais trouvé si tu n'avais pas été aussi impatiente de visiter bêtement le *Tricorne*. Tu es idiote, Poddy. Tu le sais, n'est-ce pas? Tu es aussi prévisible que la loi de la gravitation. Je sais toujours à l'avance ce que tu vas faire.

Je ne me mis pas en colère. Quand Clark vous fait sortir de vos gonds, c'en est fait de vous.

— Peut-être, concédai-je. Tu ne veux pas me dire ce que c'était? Pas de la poudre de vertige, j'espère?

Il parut scandalisé et s'exclama :

— Oh non! Tu sais ce qu'on fait à ceux qui trafiquent de la schnouffe? On les livres aux indigènes en pleine défonce, figure-toi. Et après, on n'a même pas à prendre la peine de les incinérer.

Je frissonnai et revins à mon sujet :

— Tu ne veux pas me le dire?

— Mmmm...

— Je te jure sur saint Podkayne de ne pas le répéter.

166

C'est mon serment personnel et privé. Personne d'autre que moi ne peut s'en servir.

— Il vaut mieux pas, tu sais. Ça ne te plairait pas.

— Je te jure sur saint Podkayne, je te le répète!

— Eh bien, d'accord. Mais tu as juré. C'était une bombe.

— Une *quoi*?

— Oh, à peine une bombinette. Un petit machin de rien du tout. Un rayon de destruction totale qui n'excède pas un kilomètre. De la broutille, quoi.

Je déglutis et mon cœur réintégra sa place légitime.

— Mais pourquoi une bombe?. Et qu'est-ce que tu en as fait?

Il haussa les épaules.

— Quels imbéciles! Ils m'ont proposé une somme ridicule rien que pour introduire un petit paquet à bord, tu comprends? Soi-disant que c'était une surprise pour le commandant et qu'il fallait que je la lui remette le dernier soir pendant le bal de clôture. C'était enveloppé dans du papier cadeau et tout et tout. « Arrange-toi surtout pour que personne ne voie le colis, fiston, pour qu'il ait la surprise, qu'il m'a dit cette espèce de cloche, parce que le bal de clôture coïncide avec son anniversaire. » Non mais tu me vois avaler une salade pareille, Poddy? Si ça avait vraiment été un cadeau d'anniversaire, il l'aurait tout bonnement confié au commissaire de bord. Il n'aurait pas eu besoin de me soudoyer. Alors, j'ai joué les abrutis et j'ai fait monter les enchères. Et ils ont casqué les crétins! Ils étaient drôlement nerveux au moment du contrôle des passeports et ils ont banqué tout ce que j'ai voulu. J'ai mis le paquet dans ta valise pendant que tu bavassais avec oncle Tom et je me suis débrouillé pour que tu ne passes pas à la fouille. Dès qu'on a embarqué, j'ai récupéré l'objet. J'ai été retardé par une stewardess qui aspergeait ta cabine de déodorant et j'ai dû faire vite. Il m'a fallu revenir pour refermer ta valise parce qu'oncle Tom a rappliqué pour chercher sa pipe. Pendant la nuit, j'ai ouvert le colis dans le noir — et par le fond. J'avais déjà une vague idée de ce que c'était.

— Pourquoi?

— Sers-toi un peu de ta cervelle, Poddy. Ne reste pas assise bouche bée comme ça, sinon elle va rouiller. Pour commencer, ils m'ont offert une somme qui, pensaient-ils probablement, représentait une fortune aux yeux d'un petit garçon. Quand j'ai refusé, ils ont augmenté. J'ai encore refusé. La somme est devenue de plus en plus importante. Ils n'ont même pas cherché à m'expliquer qu'un type monterait à bord à Vénusberg avec une fleur à la boutonnière et me donnerait un mot de passe. Conclusion : ils se moquaient éperdument de ce qui arriverait du moment que l'objet était dans l'astronef. C'était clair, non? Parfaitement logique. Aussi, ajouta-t-il, j'ai ouvert le paquet. Dedans, il y avait une bombe à retardement. Elle était réglée pour sauter trois jours après l'appareillage. *Boum!*

Je frissonnai à cette idée.

— Mais c'est épouvantable!

— Ça aurait pu tourner mal si j'avais été aussi bête qu'ils se le figuraient.

— Mais pourquoi faire une chose pareille?

— Ils ne voulaient pas que le *Tricorne* rejoigne Vénus.

— Pourquoi?

— Devine. C'est ce que j'ai fait.

— Et qu'est devenue cette bombe?

— Je l'ai mise de côté. Enfin, les pièces essentielles. On peut toujours avoir besoin d'une bombe, on ne sait jamais.

Voilà tout ce que j'ai pu obtenir de lui. Et, maintenant que j'ai juré sur saint Podkayne, je suis coincée. Il reste trente-six questions en suspens. Y avait-il vraiment une bombe? Ou bien mon frère, avec ce talent qu'il a pour improviser des explications qui dissimulent l'évidence, m'avait-il possédée? Et s'il y a une bombe, où est-elle? Toujours à bord du *Tricorne*? Quelque part dans notre suite du Tannhäuser? Dans le coffre du Hilton sous l'aspect d'un colis anodin? Entre les mains de Josie, le garde du corps personnel de Clark? Cachée dans la ville où il y a mille endroits pour la dissimuler? A moins — et c'est encore le plus vraisemblable —, que, énervée comme je l'étais, j'aie tout simplement fait une erreur de trois kilos et que Clark m'ait fait marcher pour le plaisir? (Ce à quoi il s'emploie invariablement quand il n'est pas occupé ailleurs.)

Allez donc savoir! Aussi pris-je la décision de tirer le maximum de cette minute de vérité — si c'en était une.

— Je suis drôlement contente que tu l'aies trouvée, dis-je. Mais ce n'est rien à côté de ce que tu as fait à Mme Garcia et à Mme Royer avec ce colorant. Girdie t'admire, elle aussi.

— C'est vrai? demanda-t-il d'une voix vibrante.

— Absolument. Mais je ne lui ai pas dit que c'était toi. Tu peux aller le lui raconter si tu en as envie.

— *Mmm*. (Il paraissait fou de joie :) La mère Royer, je lui ai donné une prime en sus. Je lui ai filé une souris dans son lit.

— Sans blague? Tu es formidable, Clark. Mais où as-tu déniché une souris?

— C'est un marché que j'avais conclu avec le chat du bord.

Comme je voudrais que nous soyons une honnête famille normale et un peu bête! Ce serait tellement plus confortable! N'empêche que Clark a gagné.

Mais je n'avais pas de temps à perdre à me ronger sur les crimes et les méfaits de mon frère. Vénusberg a trop d'attraits pour une adolescente possédant le goût, jusque-là insoupçonné, de la grande vie. Dexter, en particulier...

Je ne suis plus une lépreuse : je peux maintenant aller où je veux, même en dehors de la ville, sans porter un filtre en forme de groin qui me donne l'air d'un porcelet aux yeux bleus — et le séduisant, l'adorable Dexter n'a qu'une idée en tête, la plus flatteuse qui soit : m'escorter dans toutes mes pérégrinations. Même quand il s'agit de courir les magasins. Ici, une fille pourrait facilement dépenser l'équivalent de la dette nationale rien que dans les boutiques de mode. Mais je suis (presque) raisonnable et je ne mets dans le commerce que la part de mon viatique destinée à être dépensée sur Vénus. Si je ne faisais pas preuve de fermeté, Dexter m'achèterait tout ce qui me tente, rien qu'en levant le petit doigt. (Il n'a jamais d'argent sur lui, même pas une carte de crédit. Quand il donne des pourboires, il utilise je ne sais quel mystérieux système à tempérament.) Mais je n'ai rien accepté de plus important qu'une crème glacée fantaisie : je n'ai pas l'intention de compromettre mon statut de dilettante pour quelques jolies fanfreluches, mais je peux quand même pactiser pour une glace et, heureusement, je n'ai pas encore besoin de me faire de la bile pour ma ligne.

Aussi, après une dure journée passée à m'initier en transpirant sang et eau à des chorégraphies exotiques, Dexter m'a amenée dans un salon de thé ressemblant à peu près autant à ses homologues de Marsopolis que le *Tricorne* ressemble à un char des sables.

Il est assis devant moi et touille son café au lait en me regardant boire et manger avec toutes les marques de la stupéfaction. D'abord quelques babioles, comme un inépuisable sirop de fraise. Ensuite, des choses plus imposantes composées par un maître architecte avec des crèmes, des sirops et, naturellement, des fruits et des amandes d'importation, le tout accompagné d'une bonne vingtaine de boules de glace diversement parfumées et appelées *Taj Mahal*, *Iceberg royal* et autres désignations du même genre.

(Pauvre Girdie! D'un bout de l'année à l'autre, elle suit un régime d'ermite. Question : ferai-je un jour pareil sacrifice pour rester svelte et ensorcelante ou deviendrai-je une dame confortablement rebondie comme Mme Grew? Non, répond l'écho, et c'est sans effroi que je l'écoute.)

Je dois aussi faire preuve de fermeté envers Dexter sur un autre plan, mais de manière beaucoup moins ostensible. Il s'est révélé orfèvre en matière de logique spécieuse et son plus vif désir est de me raconter des histoires pour m'endormir. Mais je n'ai aucune envie de jouer les vierges subornées, pas à mon âge. Ce qu'il y a de tragique, ce n'est pas que Roméo et Juliette soient morts dans la fleur de l'âge, mais que le coup de foudre soit si puissant qu'il met en déroute le bon sens.

En ce qui me concerne, mes réflexes sont parfaits, je vous remercie, et mon équilibre hormonal ne laisse rien à désirer. Les ouvertures infructueuses de Dexter me font agréablement chaud au cœur et donnent un coup de fouet à mon métabolisme. Peut-être son attitude infâme à mon égard devrait-elle m'outrager. Et peut-être me sentirais-je outragée sur Mars. Mais nous sommes à Vénusberg où la différence entre une proposition déshonnête et une proposition de mariage officiel n'est qu'une vue de l'esprit et mettrait à rude épreuve la subtilité d'un sémanticien. Tout ce que je sais, c'est que Dexter a déjà sept épouses numérotées en fonction du jour de la semaine. Et je ne tiens en aucun cas à devenir le numéro huit, ni d'une façon ni d'une autre.

J'ai abordé ce problème avec Girdie et lui ai demandé pourquoi je n'avais pas le sentiment d'être « outragée ». Les circuits moraux de mon dispositif cybernétique personnel étaient-ils déconnectés tout comme ceux de mon frère Clark?

Girdie eut alors son adorable et énigmatique sourire, le sourire qui indique invariablement qu'elle pense à quelque chose dont elle ne veut pas parler en toute franchise.

— Poddy, me répondit-elle, on conditionne les

filles pour qu'elles se sentent « outragées » devant ce genre de proposition afin de les protéger. C'est une bonne idée. Il est excellent d'avoir un extincteur à portée de la main, même si l'on ne s'attend pas qu'il y ait le feu. Mais vous avez raison, ce n'est pas une insulte, cela n'en a jamais été une. C'est le seul hommage véritablement sincère qu'un homme puisse rendre au charme et à la féminité d'une femme. Tout ce que les garçons peuvent raconter d'autre ne sont, pour l'essentiel, que des mensonges polis mais, sur ce plan, les hommes sont d'une franchise absolue. Je ne vois aucune raison d'être outragée quand un homme est courtois et galant sur ce chapitre.

Je méditai là-dessus :

— Il se peut que vous ayez raison, Girdie. J'imagine que, en un sens, c'est un compliment. Mais pourquoi les garçons sont-ils toujours obnubilés par ça? En tout cas, neuf fois sur dix.

— Vous prenez les choses à l'envers, Poddy. Pourquoi seraient-ils obnubilés par autre chose? Il y a des millénaires et des millénaires d'évolution derrière de telles propositions. Félicitez-vous plutôt que les chers petits aient appris à pratiquer le baisemain au lieu de manier la massue. Enfin, un certain nombre d'entre eux... Nous avons de la sorte une plus grande liberté de choix que par le passé. Voilà ce qu'est le monde d'aujourd'hui pour la femme, ma petite Poddy. Profitez-en et soyez-en reconnaissante.

Je n'avais jamais envisagé la chose sous cet angle. Jusqu'à présent, quand j'y pensais, c'était surtout pour grogner et me plaindre qu'il soit aussi difficile pour une fille d'embrasser une carrière « masculine » — piloter un astronef, par exemple.

J'avais pas mal réfléchi à cette question et j'étais arrivée à la conclusion que la cage ne nourrit pas l'oiseau. Souhaitais-je réellement devenir un « célèbre capitaine au long cours »? ou ne serais-je pas tout aussi heureuse de faire simplement partie d'un équipage?

Oh! Je veux aller dans l'espace, n'en doutez pas un instant. Le seul petit voyage que j'ai fait entre Mars et Vénus m'a convaincue que je suis faite pour la navigation. J'aimerais mieux être stewardess adjointe à bord du *Tricorne* que président de la République. C'est amusant la vie dans un astronef. On est chez soi, avec ses amis et on va dans des endroits nouveaux et romanesques. Et, avec les astronefs à propulseurs Davis qu'on est en train de construire actuellement, ces endroits vont être plus nouveaux et plus romantiques d'année en année. Et je vous fiche mon billet que Poddy s'y rendra d'une façon ou d'une autre. Je suis une aventurière-née...

Mais il ne faut quand même pas se leurrer, n'est-ce pas? Qui confiera à Poddy la responsabilité d'un vaisseau de je ne sais combien de multimégacrédits?

Les chances de Dexter sont cent fois meilleures que les miennes. Il est aussi intelligent que moi ou presque. La fortune de son père lui a permis de recevoir une éducation nec plus ultra (je demeure loyale envers l'université d'Arès mais je sais bien que ce n'est que de la petite bière à côté des collèges où il a prévu de s'inscrire).

Et il n'est nullement impossible que son père puisse lui payer un Star Rover. Mais le problème, c'est que Dexter est deux fois plus grand que moi et que c'est un garçon. Faisons même abstraction de la fortune du papa : lequel d'entre nous sera-t-il choisi?

Mais rien n'est encore perdu. Regardez sainte Théodora, regardez la Grande Catherine. Premier temps : laisser l'homme prendre le boulot en main. Deuxième temps : prendre l'homme en main. Je ne suis pas opposée au mariage. (Mais si Dexter veut m'épouser — m'épouser ou autre chose —, il faudra qu'il me suive à Marsopolis où l'on est très collet monté sur ce point. Aucun rapport avec la licence qui règne à Vénusberg!) Le mariage devrait être le but de toutes les femmes — mais pas leur fin. Je ne le considère pas comme une sorte de mort.

« Etre ce que l'on est », répète tout le temps Girdie. — Eh bien, soit! Regardons-nous dans la glace, ma petite, et oublions pour le moment le « commandant Podkayne Fries, explorateur célèbre ». Qu'y voyons-nous?

Ne nous sommes-nous pas un peu étoffée, côté hanches, ma belle? Tu ne risques plus qu'on te prenne pour un garçon par temps sombre. On pourrait dire que nous sommes faite pour avoir des bébés. Et, somme toute, ce n'est pas une si mauvaise idée, non? Surtout si on en a un aussi mignon que Duncan. En fait, tous les bébés sont adorables, même quand ils ne le sont pas.

Ces dix-huit heures éprouvantes pendant la tempête à bord du *Tricorne* n'ont-elles pas été le meilleur moment de ta vie, Poddy? Un bébé est beaucoup plus drôle que les équations différentielles.

Tous les astronefs possèdent une crèche. Alors, quelle est la meilleure solution? Etudier la technique de la pouponnière et la pédiatrie et devenir chef de service d'un astronef? Ou passer un brevet de pilote et devenir une femme-pilote dont personne ne veut?

Enfin, nous avons le temps de prendre une décision...

Je commence à être impatiente de partir pour la Terre. Sincèrement, les boîtes ollé ollé de Vénusberg finissent par être monotones pour quelqu'un qui a, comme moi, des goûts sains (peut-être devrais-je dire : « limités »?). Je n'ai plus d'argent pour acheter des choses — ou alors, il ne me restera plus rien quand je serai à Paris. Je ne crois pas que je me laisserai prendre par le démon du jeu (d'ailleurs, je ne veux pas. Je fais partie des perdants ce qui, en un sens, compense la chance de Clark). En outre, les lumières et le bruit incessants vont finir par transformer mes fossettes en rides. Et quelque chose me dit que mon ingénuité qui me rend incapable de comprendre où il veut en venir commence à agacer un peu Dexter.

Il y a une chose que j'ai apprise au cours de mon existence : que, lorsqu'un garçon commence à s'ennuyer en votre compagnie, c'est le moment de filer. Je me prépare maintenant à ma dernière entrevue avec Dexter : un adieu plein de larmes à l'instant où il me faudra entrer dans le boyau d'accès du *Tricorne*, accompagné d'un baiser si adulte, si vibrant de passion, si total qu'il sera persuadé jusqu'à sa dernière heure que tout aurait pu se passer différemment s'il avait joué les cartes qu'il fallait.

Je suis sortie une seule fois de la ville dans un car touristique hermétiquement clos. Et, une fois, c'est plus que suffisant. A mon avis, on devrait faire cadeau de cette boule de brouillard et de marécages aux indigènes. Seulement, ils n'accepteraient pas. A un moment donné, on a signalé une fée en vol, paraît-il, mais je n'ai rien vu. Rien que le brouillard. J'aimerais quand même bien en voir ne serait-ce qu'une seule, en vol ou perchée. Dexter prétend qu'il connaît un endroit où il y en a toute une colonie, un millier ou davantage. C'est à moins de deux cents kilomètres et il m'a proposé de m'y amener d'un coup de Rolls. Mais je ne suis pas tellement chaude. C'est lui qui conduirait, et ces machins-là sont à commandes automatiques. Si je peux convaincre Girdie ou même Clark de se laisser tenter par un pique-nique, peut-être que, dans ce cas-là...

Il n'empêche que j'ai appris des tas de choses sur Vénus et je n'aurais pas voulu qu'elles me passent sous le nez pour un empire. L'art du pourboire, notamment, et maintenant, j'ai l'impression d'être une voyageuse chevronnée. La coutume du pourboire peut être fâcheuse mais ce n'est quand même pas la tare que se figurent les gens de Mars. C'est un lubrifiant indispensable pour obtenir un service parfait.

Soyons franc : à Marsopolis, le service est, au mieux, indifférent et, au pire, épouvantable. Seulement, je n'en avais pas conscience. Un employé s'occupe de vous quand le cœur lui en

177

dit et il continue de tailler une bavette avec un collègue sans vous voir s'il n'en a pas envie. Rien de tel à Vénusberg. Cependant, ce n'est pas simplement une question d'argent et je vais maintenant vous confier le grand secret du touriste heureux. Je n'ai guère assimilé de rudiments de portugais et tout le monde, ici, ne parle pas l'ortho. Mais il n'est pas nécessaire d'être un linguiste éprouvé si l'on connaît un mot, un seul. Dans le plus grand nombre de langues possible. Le mot « merci ».

C'est grâce à Maria et Maria que je l'ai compris. Je leur dis « gobble-gobble » cent fois par jour. En fait, le vocable est « obrigado » qui sonne comme « gobble-gobble » quand on le dit vite. Un pourboire modique est la preuve d'un meilleur savoir-faire — et il vous permet d'obtenir un service amélioré et plus empressé — quand il s'accompagne d'un « merci », qu'un gros pourboire quand on ne dit rien.

Aussi me suis-je entraînée à dire « merci » dans le maximum d'idiomes possible en m'efforçant toujours d'utiliser celui de mon interlocuteur quand je le devine, ce qui est généralement le cas. Mais si l'on fait erreur, ce n'est pas bien grave. Les concierges, les employés, les chauffeurs de taxis et autres connaissent ce mot dans un tas de langues et ils comprennent même si vous faites erreur sur l'idiome. J'ai catalogué la façon de dire « merci » dans une foule de dialectes et j'ai appris ma liste par cœur :

    Obrigado
    Dan'-keu-cheun
    Mârssi
    Qytoss

M'goy
Gratte-scie
Arigato
S'pas-si-beau
Gratciôze
Tock

Toutes les autres listes interminables traitant de l'art et de la manière de se faire bien voir quand on voyage et que j'avais si consciencieusement étudiées se sont révélées inutiles. Cette seule règle remplace toutes les autres.

Il y a quelque chose qui cause beaucoup de tracas à oncle Tom. Il est distrait et il a beau me sourire quand je réussis à capter son attention (ce qui n'est pas facile), son sourire s'efface aussitôt et son front se plisse à nouveau. Peut-être que tout s'arrangera quand nous aurons quitté Vénusberg. Comme j'ai hâte de réintégrer mon cher chapeau à trois cornes, première escale : Luna City!

11

Décidément, ça ne va pas du tout. Cela fait deux nuits que Clark n'est pas rentré et on dirait qu'oncle Tom n'a plus sa tête à lui. Pardessus le marché, je me suis disputée avec Dexter, ce qui est sans importance comparé à la disparition de mon frère, mais si je pouvais pleurer au creux d'une épaule, ce serait quand même réconfortant.

Et l'oncle s'est bagarré terrible avec M. le P.-D.G. — d'où ma querelle avec Dexter parce que j'étais du côté du tonton, même si je ne savais pas de quoi il s'agissait, et j'ai découvert que Dexter était aussi aveuglément loyal envers son père que moi envers oncle Tom. Je n'ai assisté qu'à une partie de la dispute mais c'était une de ces querelles d'hommes, effrayante, glacée, venimeuse sous des dehors de politesse formelle — le préambule à l'inévitable rencontre sur le pré, à l'aube, pistolet au poing.

J'ai l'impression qu'il s'en est fallu de peu qu'ils n'en arrivent là. Le président a surgi dans l'appartement. Il ne ressemblait plus du tout au Père Noël et l'oncle a laissé tomber sur un ton glacé : « J'attendais vos témoins, monsieur. »

Mais le président Cunha ne releva pas le propos et oncle Tom s'aperçut alors que j'étais là — collée contre le piano, muette et m'efforçant de me faire toute petite. Il m'ordonna d'aller dans ma chambre et j'obéis.

Seulement, maintenant, j'ai compris un certain nombre de choses. J'avais cru que nous étions autorisés, Clark et moi, à nous balader librement dans Vénusberg. Encore que, pour ma part, j'eusse toujours été escortée soit de Girdie soit de Dexter. Eh bien, pas du tout. Depuis notre installation au Tannhäuser, la police de la Compagnie nous surveillait l'un et l'autre jour et nuit chaque fois que nous sortions. Je ne m'en étais jamais doutée et je suis convaincue que Clark était dans le même cas. Sinon il n'aurait jamais engagé Josie pour veiller sur sa caisse. Mais l'oncle le savait et il avait accepté la chose comme une faveur de M. le président, ce qui lui permettait de vaquer tranquillement aux occupations qui l'amenaient sur Vénus sans avoir à cornaquer deux enfants, dont un fou à lier. (Ce n'est pas à moi que je fais allusion.)

Pour autant que j'ai pu reconstituer l'algarade, l'oncle a rendu le président responsable de la disparition de Clark, ce que, personnellement, je trouve un peu tiré par les cheveux car si mon frérot avait su qu'il était surveillé, il aurait été capable de fausser compagnie à une tripotée de privés, au corps spatial au grand complet et à une meute de chiens policiers, l'écume aux babines.

Sur ce, Dexter m'a confié que les deux hommes n'étaient absolument pas d'accord sur la méthode à suivre pour retrouver Clark. Moi, j'estime qu'il a disparu parce qu'il voulait disparaître dans l'intention de rater le départ du *Tricorne* et de rester sur Vénus pour deux raisons : a) parce que Girdie y est; et b) parce qu'il y a de l'argent à profusion. Mais, peut-être, aurais-je dû intervertir l'ordre des facteurs.

C'est ce que je n'arrête pas de me répéter. Mais le président affirme que c'est un kidnapping, qu'il ne peut pas en être autrement et qu'il n'y a qu'une seul moyen, sur Vénus, d'agir face à un kidnapping si l'on tient à revoir un jour le kidnappé vivant.

Sur Vénus, le kidnapping est à peu près la seule chose qui fait peur aux administrateurs. En fait, cela les terrifie tellement que c'est virtuellement un rite qui a été élaboré. Si le ravisseur joue le jeu et ne fait pas subir de sévices à sa victime, non seulement il ne sera pas puni mais, en outre, la Compagnie lui garantit qu'il pourra conserver la rançon dont il aura été convenu. Mais s'il ne joue pas le jeu et si on le capture, eh bien, ce qui l'attend est plutôt sinistre. Il est bon pour certaines tortures auxquelles Dexter a fait vaguement allusion devant moi. D'après ce que j'ai compris, le châtiment le plus doux est quelque chose qui s'appelle « la mort de quatre heures ». Il n'a pas voulu me donner de détails sauf qu'il s'agit d'une drogue qui est le contraire d'un anesthésiant : elle aggrave la douleur.

Selon Dexter, Clark n'a absolument rien à craindre tant qu'oncle Tom ne cherchera pas à mettre son nez dans des choses qui lui échappent. C'est à ce moment qu'il l'a traité de « vieil idiot » et que je l'ai giflé.

Comme je regrette mon heureuse enfance à Marsopolis où je comprenais comment tout se goupillait. Ici, je ne comprends rien à rien. Tout ce que je sais, c'est qu'il n'est plus question pour moi de quitter notre appartement sauf en compagnie d'oncle Tom et que je dois l'accompagner partout où il va.

Voilà pourquoi j'ai enfin vu le « chalet » de la famille Cunja. Cela m'aurait davantage intéressée si Clark ne s'était pas volatilisé. C'est une modeste demeure, à peine plus petite que le Tannhäuser, mais beaucoup plus somptueuse. La Maison Rose du président de la république de Mars tiendrait à l'aise dans la salle de bal. C'est justement dans cette salle de bal que je me suis disputée avec Dexter pendant que l'oncle et M. Cunha vidaient ailleurs leur querelle — une querelle autrement sérieuse.

Un peu plus tard, oncle Tom me ramena au Hilton. Je le trouvai terriblement vieilli. Il faisait au moins cinquante ans ou, si vous préférez, cent cinquante ans en se référant à l'année locale. Nous dînâmes dans l'appartement et ni l'un ni l'autre nous ne mangeâmes beaucoup. Quand j'eus fini, j'allai m'asseoir devant la baie animée. Je suppose que le paysage représenté était terrien. Ce devait être le grand canyon d'El Dorado ou d'El Colorado ou je ne sais trop quoi. Grand, il l'était indiscutablement, mais le seul résultat fut une crise d'acrophobie et de larmes. Le tonton était derrière moi, semblable à Prométhée pendant que le vautour lui dévore le foie. Je pris sa main dans la mienne et lui dis :

— Oncle Tom, j'aimerais que tu me donnes une fessée.

— Hein? (Il secoua la tête et eut enfin l'air de me voir :) Mais pourquoi, Flicka?

— Parce que c'est ma faute.

— Que veux-tu dire, ma chérie?

— Parce que je suis respon... ponsable de Clark. Je l'ai toujours été. Il n'est pas raisonnable. Tiens! Quand il était encore un bébé, j'ai dû l'empêcher au moins mille fois de tomber dans le Canal.

Il secoua encore la tête, négativement ce coup-là.

— Non, Poddy, c'est moi qui suis responsable de lui, pas toi. En l'absence de vos parents, je suis votre tuteur. Ils m'ont fait confiance.

— N'empêche que je me sens quand même responsable de lui!

Nouveau hochement de tête.

— Non. En vérité, personne ne peut jamais

être réellement responsable d'un autre être humain. Chacun de nous est seul en face de l'univers. Or, l'univers est ce qu'il est et les règles sont les mêmes pour tous. A terme, c'est toujours l'univers qui gagne et qui empoche tout. Mais cela ne nous rend pas les choses plus faciles quand nous essayons, comme tu l'as fait et comme je l'ai fait, d'être responsable de quelqu'un. Lorsqu'on regarde en arrière, on voit qu'on aurait pu s'y prendre mieux. (Il poussa un soupir :) Je n'aurais pas dû faire des reproches à M. Cunha. Lui aussi, il a tenté de s'occuper de Clark. De vous deux. Je le savais. (Après une pause, il poursuivit :) J'ai seulement eu un doute dont je ne suis pas fier, quelque chose de moche. Je pensais qu'il se servait de Clark pour faire pression sur moi. J'avais tort. A sa façon et en vertu de ses propres critères, M. Cunha est un homme honorable. Et sa morale n'admet pas qu'on utilise un enfant à des fins politiques.

— A des fins politiques?

L'oncle me regarda comme s'il était surpris que je sois encore là.

— J'ai eu tort d'être trop discret envers toi. C'est plus fort que moi, j'oublie que tu es maintenant une femme. Tu es toujours pour moi la fillette qui me grimpait sur les genoux et me demandait de lui raconter son « histoire de Poddy ». (Il prit une profonde inspiration :) Je ne te dirai pas tout, ce serait trop fastidieux, mais je dois faire amende honorable à M. Cunha parce que c'est moi qui me servais de Clark à des fins politiques. Et de toi également.

— Comment cela?

— Comme couverture, ma chère enfant. Le

grand-oncle gâteux qui escorte sa nièce et son neveu bien-aimés dans leur voyage... Je suis navré, Poddy, mais il s'agit de tout autre chose. La vérité est que je suis ambassadeur extraordinaire et ministre plénipotentiaire mandaté par la république de Mars pour la représenter au sommet triplanétaire. Mais il a paru préférable de conserver la chose secrète jusqu'au moment où je présenterais mes lettres de créance.

Je ne répondis pas parce que j'avais une certaine difficulté à avaler cette déclaration. Bien sûr, je sais parfaitement qu'oncle Tom est un cas très spécial et qu'il a fait des choses importantes. Mais, depuis ma petite enfance, c'était toujours quelqu'un qui avait le temps de me tenir mon écheveau et qui cherchait avec le plus grand sérieux des noms pour mes poupées de papier.

— Je vous ai donc utilisés tous les deux, Flicka, reprit-il. Parce que... Poddy, désires-tu vraiment connaître tous les tenants et les aboutissants, tous les mélis-mélos politiques qui sont derrière cette affaire?

J'en avais la plus grande envie mais j'essayai de me comporter en adulte.

— Je te fais juge, oncle Tom. Dis-moi seulement ce que tu estimes devoir me dire.

— J'aime autant ça, parce qu'il y a là-dedans des côtés sordides et tout est si complexe qu'il faudrait des heures pour l'expliquer. De plus, je ne suis pas personnellement habilité à tout raconter. Il y a certains engagements qui ont été pris par Bozo... pardon! par le président. Des promesses qu'il a faites. Sais-tu qui est notre ambassadeur à Luna City?

185

Je fouillai dans ma mémoire.

— M. Souslov?

— Non, tu retardes d'une administration. C'est Artie Finnegan. Pas un mauvais bougre, Artie, mais il considère que c'est lui qui devrait être président et il est convaincu qu'il est plus au courant des affaires interplanétaires que le président lui-même et qu'il sait mieux que lui ce qui convient pour Mars. Il est plein de bonnes intentions, c'est indiscutable.

Je m'abstins de tout commentaire car le nom d'Arthur Finnegan avait immédiatement éveillé mes souvenirs. J'avais une fois entendu oncle Tom, qui discutait avec papa, mener une attaque en règle contre lui. « Une tête comme un sac de boue », « forban jusqu'à la moelle », « un ego de pointure douze dans une âme de pointure neuf », telles étaient quelques-unes des expressions les plus aimables qu'il avait employées.

— Mais si bonnes que soient ses intentions, continua oncle Tom, il n'a pas les mêmes conceptions que le président — et que moi-même — en ce qui concerne les problèmes qui seront abordés à la conférence. Or, si le président n'envoie pas un émissaire spécial — ton serviteur, en l'occurrence —, c'est l'ambassadeur-résident qui, automatiquement, parle au nom de Mars. La Suisse, ça te dit quelque chose, Poddy?

— Hein? Euh... Guillaume Tell. La pomme.

— J'imagine que c'est suffisant, encore que cette pomme n'ait probablement jamais existé. Eh bien, vois-tu, Poddy, ou Mars sera la Suisse du système solaire ou il ne sera rien. C'est l'opinion du président et c'est la mienne. Un petit homme (ou un petit pays comme Mars ou la

Suisse) ne peut faire face à des voisins plus grands et plus puissants que s'il est prêt à se battre. Nous n'avons jamais eu de guerre et je souhaite que nous n'en ayons jamais car il est probable que nous la perdrions. Mais si nous sommes prêts à nous battre, peut-être ne serons-nous jamais obligés d'en arriver à cette extrémité. (Il soupira.) C'est ainsi que je vois les choses. Mais M. Finnegan pense, lui, que parce qu'il est petit et faible, Mars doit adhérer à la Fédération terrienne. Il a peut-être raison, l'avenir nous le dira. Pour ma part, je suis d'un autre avis. Je pense que ce serait la fin de Mars en tant que nation indépendante et société libre. En outre, je pense que si Mars renonce à son indépendance, il est logique que Vénus suive son exemple. Ce ne sera qu'une question de temps. Depuis que je suis ici, j'ai consacré beaucoup d'efforts à essayer de convaincre M. Cunha, de l'inciter à pousser son haut-commissaire résident à faire front avec nous contre Terra. Cela pourrait amener Luna à rallier notre cause à son tour puisque, à eux deux, Vénus et Mars peuvent lui accorder des conditions plus avantageuses que Terra. Mais c'est loin d'être facile. Traditionnellement, la Compagnie a pour ligne de conduite de ne pas s'occuper de politique. « Placez votre foi dans les princes »... ce qui veut dire pour elle qu'elle peut acheter et vendre sans avoir à répondre à des questions. Je me suis donc efforcé de faire comprendre à M. Cunha que si Luna, Mars et Terra (les lunes joviennes ne comptent pour ainsi dire pas) faisaient bloc, la Compagnie ne serait pas plus libre à brève échéance que General Motors ou I.G. Farberindustrie. Je suis sûr qu'il a compris... jusqu'au moment où j'ai tiré les conclusions que tu sais de la disparition de Clark. Alors, il a éclaté. (Il secoua la tête :) Je ne suis pas un très bon diplomate, Poddy.

— Eh bien, tu n'es pas le seul!

Et je lui racontai comment j'avais flanqué une gifle à Dexter. Il sourit pour la première fois depuis le début de notre conversation.

— Oh Poddy! Nous n'arriverons jamais à faire de toi une dame. Tu es aussi indécrottable que ton oncle.

Je lui rendis son sourire et me mis à me curer les dents avec l'ongle. C'est encore plus grossier que vous ne le croyez — et il s'agit là d'une affaire privée entre oncle Tom et moi. Nous autres, Maoris, avons un passé sanguinaire et je ne veux même pas mentionner ce que nous sommes censés extirper de notre mâchoire quand nous nous curons les dents. Le tonton utilisait cette pantomime vulgaire quand j'étais petite pour me signifier que je ne me conduisais pas comme une dame. Du coup, il sourit franchement et m'ébouriffa les cheveux.

— Tu es la plus blonde des sauvages aux yeux bleus que j'ai jamais vues. Mais tu es quand même une sauvage, c'est vrai. Et moi aussi. Tu ferais mieux de lui dire que tu regrettes ton geste, cocotte. Car, bien que j'apprécie à sa valeur la vaillance avec laquelle tu as pris ma défense, Dexter avait absolument raison. Je me suis comporté comme « un vieil idiot ». De mon côté, j'irai présenter mes excuses à son père et je suis prêt à faire les derniers cent mètres sur le ventre s'il le veut. Quand on se trompe, on doit le reconnaître totalement et faire amende honorable. Toi, va embrasser Dexter et réconciliez-vous. C'est un chic garçon.

— Je lui dirai que je regrette et je réparerai... mais je ne crois pas que je l'embrasserai. Je ne l'ai pas encore fait.

Il eut l'air surpris.

— Ah bon? Il ne te plaît pas? Ou est-ce parce qu'il y a trop de sang norvégien dans la famille?

— Dexter me plaît beaucoup et tu divagues si tu te figures que le sang scandinave est plus froid que le sang polynésien. Si, il me plaît drôlement... c'est justement pour cela que je ne l'ai pas embrassé.

— Eh bien, c'est la sagesse qui parle par ta bouche, mon coco, dit-il après un instant de réflexion. Pour ce qui est des baisers, mieux vaut t'entraîner sur des garçons qui n'ont pas tendance à faire griller tes fusibles. D'ailleurs, il est bien gentil, je ne dis pas, mais il est loin d'être assez bien pour ma sauvageonne de nièce.

— Peut-être que oui, peut-être que non. Mais, oncle Tom, que vas-tu faire au sujet de Clark?

Et c'en fut fait de son semblant de bonne humeur.

— Rien, Podkayne. Rien du tout.

— Mais il faut faire quelque chose!

— Que veux-tu faire, Podkayne!

Là, je restai sans voix. Je m'étais déjà torturé les méninges. Alerter la police? La police, c'est le président Cunha. Elle est entièrement à sa dévotion. Engager un détective privé? S'il y a des détectives privés sur Vénus (ce que j'ignore), eh bien, ils sont tous sous contrat avec M. Cunha ou, plus exactement, avec la Compagnie. Publier des annonces dans les journaux? Interroger la corporation des chauffeurs de taxis? Faire passer la photo de Clark sur les murs-lucarnes en proposant une récompense? Quoi qu'on puisse penser, tout, sur Vénus, appartient à M. le président-directeur général. Enfin... à la Compagnie qu'il dirige. Oncle Tom a beau m'expliquer que, en fait, les Cunha ne détiennent qu'une partie de l'actif, c'est du pareil au même.

— Vois-tu, Poddy, j'ai sorti à M. Cunha tous les arguments imaginables. Et de deux choses l'une : ou il est d'ores et déjà en train de faire quelque chose, ou il m'a convaincu qu'ici, en fonction d'une conjoncture qu'il connaît beaucoup mieux que moi, il ne faut pas bouger.

— Mais alors, qu'est-ce qu'on peut *faire*?

— Attendre. Toutefois, si jamais il te vient une idée quelconque, susceptible de dégeler la situation, fais-m'en part. Si elle n'est pas déjà en application, on en parlera à M. Cunha et on verra avec lui si elle est praticable. N'hésite pas à me réveiller si je dors.

— Tu peux compter sur moi.

J'aurais été bien étonnée que l'un de nous deux puisse dormir. Mais il y avait encore quelque chose qui me tourmentait.

— Oncle Tom, si Clark n'est pas revenu quand le *Tricorne* appareillera, que feras-tu?

Il ne me répondit pas. Simplement, les sillons qui labouraient son visage se creusèrent encore davantage. Je comprenais à quel point sa décision était douloureuse — et je savais comment il l'avait prise.

Mais j'avais, de mon côté, une autre décision douloureuse à prendre. Cela faisait un moment que j'en discutais avec saint Podkayne et j'en étais arrivée à la conclusion que je devais rompre mon serment. Cela peut paraître idiot mais pas pour moi. Je n'avais encore jamais rompu un serment dont saint Podkayne était garant. Et, à l'avenir, je ne pourrais jamais plus avoir confiance en moi.

Je racontai donc à oncle Tom l'histoire de la bombe que Clark avait clandestinement introduite à bord du *Tricorne*.

Et je fus quelque peu surprise de voir que l'oncle la prenait au sérieux. A vrai dire, j'étais presque arrivée à me persuader que mon frère m'avait mise en boîte, rien que pour ne pas perdre la main. La contrebande... Bien sûr, il y a toujours des choses que l'on passe en contrebande dans un astronef. Mais pas une bombe! Seulement des objets suffisamment précieux pour qu'on soudoie un petit garçon et il y avait de fortes chances, si je connaissais bien mon Clark, qu'il ait encore touché une commission en remettant la marchandise à un steward, à un manutentionnaire ou à dieu sait qui.

Mais oncle Tom voulut à tout prix que je lui donne une description précise de la personne que j'avais vue en grande discussion avec Clark pendant l'escale de Deïmos.

— Mais c'est impossible, mon oncle! Je lui ai à peine jeté un coup d'œil. C'était un homme. Ni petit, ni grand, ni particulièrement gros, ni particulièrement maigre. Je suis incapable de me rappeler comment il était habillé et je ne sais même pas si j'ai regardé son visage. Euh, si, je l'ai regardé mais je ne m'en souviens absolument pas.

— Etait-ce un des passagers?

Je réfléchis longuement.

— Non. Sinon, je l'aurais remarqué plus tard pendant que le souvenir était encore frais. Attends... Je suis à peu près sûre qu'il n'était pas dans la queue avec nous. Il me semble qu'il a pris la direction de la sortie, celle qu'on emprunte pour regagner la navette.

— C'est plausible. C'est même certain... s'il s'agissait d'une bombe et non d'un produit de la remarquable imagination de mon neveu.

— Mais, oncle Tom, pourquoi veux-tu que ce soit une bombe?

Il ne répondit pas mais je connaissais déjà la réponse. Pourquoi quelqu'un s'amuserait-il à faire sauter le *Tricorne* en tuant tous les gens se trouvant à bord, y compris les bébés? Pas pour toucher une assurance comme dans les romans d'aventure. Les Lloyds ne versent pas d'indemnités suffisamment élevées pour qu'une entreprise aussi folle puisse se solder par un bénéfice. En tout cas, c'est ce qu'on nous apprend au collège en classe d'économie.

Alors, pourquoi?

Pour empêcher l'astronef de rallier Vénus.

Mais le *Tricorne* s'était posé sur Vénus des dizaines et des dizaines de fois...

Pour empêcher quelqu'un se trouvant à bord d'atteindre Vénus (ou, peut-être, Luna) au cours de ce voyage-ci.

Qui? Sûrement pas Podkayne Fries. Je ne suis pas un personnage suffisamment important, sinon à mes propres yeux.

Pendant les deux heures qui suivirent, nous fouillâmes tout l'appartement, oncle Tom et moi.

Sans rien trouver, ce qui ne me surprit en aucune façon. S'il y avait réellement une bombe (ce que je n'arrivais pas encore à croire entièrement) et si Clark l'avait effectivement sortie du navire pour la cacher ici (ce qui semblait peu probable dans la mesure où il n'y avait que l'embarras du choix pour la dissimuler dans Vénusberg, il avait eu amplement le temps de la camoufler pour qu'elle ressemble à n'importe quoi, un pot de fleurs ou ... ce que vous voudrez!

Nous perquisitionnâmes dans la chambre de Clark en dernier, considérant que c'était l'endroit le moins vraisemblable. Ou, plus exactement, nous commençâmes à la perquisitionner ensemble et l'oncle acheva le travail tout seul. Farfouiller dans les affaires de mon frère, c'était trop pour moi, et le tonton me conseilla d'aller me reposer dans le salon.

Quand il abandonna, je n'avais plus une seule larme en réserve. Néanmoins, j'avais une suggestion à soumettre :

— Et si on se faisait apporter un compteur Geiger?

Oncle Tom haussa les épaules et s'assit.

— Ce n'est pas une bombe que nous cherchons, Podkayne.

— Ah bon?

— Non. Si nous la trouvions, cela confirmerait simplement que Clark t'a dit la vérité, ce que je considère d'ores et déjà comme une hypothèse de travail. Parce que... eh bien, parce que je connais ces éléments dont je ne t'ai pas parlé dans le résumé succinct que je t'ai fait. Mais je sais que c'est une affaire d'une importance capitale pour certaines personnes et je sais jusqu'où ces personnes sont capables d'aller. La politique n'est ni un jeu ni une mauvaise plaisanterie comme d'aucuns ont tendance à le croire. La guerre elle-même n'est qu'une extension de la politique. Aussi, je ne trouve rien de surprenant à ce que l'on fasse usage d'une bombe en politique. La politique a utilisé des bombes des centaines, des milliers de fois dans le passé. Non, Poddy, ce n'est pas une bombe que nous cherchons, c'est un homme. L'homme que tu as entrevu l'espace de quelques secondes. Et, probablement, ce n'est même pas cet homme-là mais quelqu'un auquel l'individu en question pourrait peut-être nous conduire. Quelqu'un qui fait probablement partie de l'entourage du président, en qui le président a confiance.

— Mon Dieu! Comme je regrette de ne pas l'avoir vraiment regardé!

— Ne te mets pas martel en tête, mon chou. Tu ne savais pas et tu n'avais aucune raison pour le photographier. Mais je te fiche mon billet que Clark sait, lui, à quoi il ressemble. Si... je veux dire quand il sera de retour, nous lui ferons examiner les archives de l'identité à Marsopolis. Les photos de visas délivrés au cours des dix dernières années si c'est nécessaire. On retrouvera l'homme en question et, par son intermédiaire, la personne qui jouit si mal à propos de la confiance du président. (D'un seul coup, oncle Tom se transforma en un vrai Maori. Un Maori très sauvage :) Et, à ce moment, je m'occuperai personnellement de cette affaire. On verra. (Il sourit et ajouta :) Mais, pour le moment, Poddy va aller se coucher. Tu as largement dépassé l'heure du lit, même avec les sorties nocturnes et les rentrées tardives de ces derniers temps.

— Euh... quelle heure est-il à Marsopolis?

Il consulta sa montre n° 2 :

— 20 h 17. J'espère que tu ne songes pas à téléphoner à tes parents?

— Oh non! Je ne leur dirai pas un mot à moins que... jusqu'à ce que Clark soit de retour. Et, même après, je ne sais pas trop. Mais s'il est seulement 20 h 17, il n'est pas tard en temps réel et je ne veux pas me coucher. Pas avant toi.

— Je ne me coucherai peut-être pas.

— Cela m'est égal. Je veux rester avec toi.

Il me regarda en battant des paupières et dit d'une voix très douce :

— C'est entendu, Poddy. Une nuit blanche une fois de temps en temps, c'est indispensable pour devenir une grande personne.

Nous restâmes un bon moment silencieux. Nous n'avions rien à dire qui n'eût déjà été dit et revenir sur ce sujet n'aurait servi qu'à nous faire mal. Finalement, je murmurai :

— Tonton Tom, raconte-moi l'histoire de Poddy.

— A ton âge?

— S'il te plaît. (Je grimpai sur ses genoux :) Je veux l'écouter encore une fois sur tes genoux. J'en ai besoin.

— Comme tu voudras. (Il passa son bras autour de ma taille :) Il était une fois, il y a de cela longtemps, très longtemps, quand le monde était encore jeune, une petite fille qui habitait une ville particulièrement privilégiée. Elle s'appelait Poddy. Toute la journée, elle s'affairait comme une pendule qui fait tic-tac. *Tic-tac* faisaient ses talons. *Tic-tac* faisaient ses aiguilles à tricoter. Mais c'était surtout sa petite cervelle qui faisait *tic-tac*. Ses cheveux avaient la couleur des fleurs d'or qui jaillissent au printemps quand fondent les glaces des canaux, ses yeux étaient du même bleu changeant que le soleil qui étincelle sur les cours d'eau en crue du printemps. Son nez n'avait pas encore décidé de la forme qu'il adopterait et sa bouche ressemblait à un point d'interrogation. Elle accueillait le monde comme un présent qui n'a pas encore été déballé et il n'y avait pas une ombre de mal en elle. Un jour, Poddy...

Je l'interrompis :

— Mais je ne suis plus jeune. Et je ne crois pas que le monde ait jamais été jeune!

— Tiens, prends mon mouchoir et mouche-toi. Je ne t'ai jamais raconté la fin de l'histoire, Poddy. Tu t'endormais toujours avant. Elle se termine par un miracle.

— Un vrai miracle?

— Oui. Voici la fin : Poddy devient grande et elle a une autre Poddy. Alors, le monde retrouve sa jeunesse.

— C'est tout?

— C'est tout. Mais c'est suffisant.

12

Je suppose qu'oncle Tom m'a couchée car, quand je me suis réveillée, j'étais tout habillée.

Mes vêtements étaient froissés. Il ne m'avait retiré que mes chaussures. Il n'était plus là, mais il avait laissé un mot pour me dire que je pouvais le joindre, le cas échéant, en appelant le président Cunha sur sa ligne personnelle. N'ayant aucune raison de l'importuner et ne voulant voir personne, j'ordonnai à Maria et Maria de déguerpir et pris mon petit déjeuner au lit. Je mangeai copieusement, force m'est de le reconnaître. Le corps a quand même ses exigences.

Ensuite, je sortis mon journal pour la première fois depuis notre arrivée. Entendons-nous bien : j'ai continué à le tenir mais en dictant, pas en écrivant. La bibliothèque de notre suite est équipée d'un bureau à magnétophone incorporé et j'ai constaté que, pour tenir un journal, cela simplifiait rudement les choses. A vrai dire, je l'avais découvert avant parce que M. Clancy me laissait utiliser le magnétophone faisant office de livre de bord du *Tricorne*.

Il y avait un problème en ce qui concernait celui de la bibliothèque : Clark pouvait tomber dessus à tout moment. Mais lors de ma première tournée de lèche-vitrines, j'avais déniché dans un grand magasin de Vénusberg, un adorable mini-enregistreur. Il ne m'a coûté que dix crédits et demi. Il tient dans la main et vous pouvez parler dans le micro à l'insu de tout le monde si le cœur vous en dit. Je n'ai pas pu résister. Depuis ce jour, il ne quitte pas mon sac.

Mais j'avais envie de relire mon journal écrit pour voir si, par hasard, je n'avais pas noté quelque chose susceptible de me rappeler le mystérieux interlocuteur de Clark ou un détail se rapportant à lui.

Il n'y avait rien. Pas le moindre indice. Mais je découvris UN MESSAGE DE CLARK. Disant ceci :

Ma petite Pod,

Si tu trouves ce poulet, dépêche-toi de le lire parce que je me sers d'une encre qui ne dure que vingt-quatre heures. Je ne veux pas, en effet, laisser de traces et, passé ce délai, tu ne liras plus jamais ma missive.

Girdie a des ennuis et je pars à sa rescousse. Je n'en ai parlé à personne parce que c'est là une tâche qui m'incombe directement et je tiens à ce que ni toi ni quelqu'un d'autre n'intervienne.

Toutefois, un joueur qui connaît son métier protège ses arrières quand il en a la possibilité. Si mon absence dure assez longtemps et que tu lises ceci, préviens oncle Tom et débrouille-toi pour qu'il alerte le président Cunha. Tout ce que je peux te dire, c'est qu'il y a un kiosque à journaux juste à la hauteur de la porte sud. Tu achèteras un exemplaire du Daily Merchandiser et tu demanderas au type s'il vend des permatorches. Et puis tu lui diras : « Donnez-m'en donc deux. Il fait très sombre là où je vais. »

Mais ne te mets pas en tête de faire cavalier seul. Ce serait trop bête de tout bousiller.

Si ça tourne au vinaigre, je te lègue ma collection de pierres.

Compte tes sous. Et sers-toi de tes doigts, ça vaudra mieux.

CLARK

Tout se brouilla devant mes yeux. Cette dernière ligne... Je n'ai peut-être jamais vu de testament holographe mais quand j'en ai un sous le nez, je suis capable de le reconnaître. Je serrai les dents et comptai dix secondes à l'envers avant de lâcher, pour finir, le mot grossier qui libère la tension nerveuse. Parce que je savais que ce n'était pas le moment de jouer les femmelettes et de me trouver mal. J'avais du travail.

J'appelai immédiatement oncle Tom, car j'étais en plein accord avec Clark sur un point : pas question de faire la pige aux Aventuriers de l'Espace et à l'Homme d'Acier comme il l'avait fait, lui, de toute évidence. J'avais besoin de toute l'aide que je pouvais obtenir. Si Clark et Girdie étaient dans le pétrin, c'est avec enthousiasme que j'aurais accueilli deux régiments de Marines et la Légion martienne dans sa totalité.

J'appelai donc le code personnel du président Cunha. La seule réponse fut l'énoncé d'un autre numéro de code. Celui-ci répondit. Mais c'était un enregistrement. Un enregistrement d'oncle Tom. Il se contentait de répéter plus ou moins ce qu'il avait mis dans son mot. Il serait probablement pris toute la journée et je ne devais en aucun cas quitter l'appartement avant son retour. Cette fois, il ajoutait quand même quelque chose d'autre : il m'interdisait de laisser entrer qui que ce soit, pas même un dépanneur, pas même un domestique en dehors de ceux qui assuraient déjà le service comme Maria et Maria.

Lorsque l'enregistrement démarra pour la troisième fois, je coupai pour appeler le président en passant comme tout un chacun par la filière normale, c'est-à-dire le siège de la Compagnie. Quelle ingénuité était la mienne! En insistant sur le fait que j'étais la nièce du sénateur

Fries, de la république de Mars, j'arrivai jusqu'à sa secrétaire. Ou peut-être jusqu'à la secrétaire de sa secrétaire.

— Je suis navrée, mademoiselle Fries, mais il m'est impossible de joindre M. Cunha.

Je lui demandai alors où était oncle Tom.

— Je suis tout à fait désolée, mademoiselle, mais je ne sais pas.

En désespoir de cause, je la priai de me mettre en communication avec Dexter.

— Je suis absolument navrée mais M. Dexter est en tournée d'inspection pour le compte de M. Cunha.

Elle ne pouvait — ou ne voulait — pas me dire quand Dexter rentrerait. Et elle ne voulait — ou ne pouvait — pas m'indiquer comment le contacter. Je n'en crus pas un mot parce que si j'étais à la tête d'une société commerciale ayant une planète entière comme sphère d'activité, je m'arrangerais pour pouvoir toucher n'importe quand toutes les mines, tous les ranches, toutes les usines, tous les avions appartenant à la compagnie. Et je me plais à imaginer que M. le président-directeur général n'est pas moins capable que moi dans ce domaine.

C'est ce que je m'efforçai d'expliquer à mon interlocutrice en utilisant la rhétorique haute en couleur des rats des sables et des hommes des canaux. Eh oui, j'étais folle de rage et j'employai des expressions dont je ne me souvenais même pas que je me les rappelais. L'oncle Tom a sans doute raison : si l'on gratte mon épiderme scandinave, on trouve une sauvage en dessous. J'avais envie de me curer les dents devant cette fille. Seulement, elle n'aurait pas compris.

Mais savez-vous le plus beau? J'aurais aussi bien pu invectiver un alligator des sables : ma prose n'avait pas le moindre effet sur elle. Elle se contentait de ressasser :

— Je - suis - absolument - navrée - mademoiselle - Fries.

En désespoir de cause, j'exhalai un grognement et raccrochai.

Je songeai à téléphoner à papa. Je savais qu'il aurait accepté le P.C.V., eût-il dû, pour cela, hypothéquer sur son salaire. Mais Mars était à onze minutes — c'était marqué sur le cadran. Et c'était encore pire avec les relais de la station Hermès et de Luna City. Avec un intervalle de vingt-deux minutes entre les demandes et les réponses, il m'aurait fallu presque toute la journée pour lui expliquer la situation. Je sais bien que le délai d'attente n'est pas facturé mais quand même...

Peut-être lui aurais-je néanmoins téléphoné mais qu'aurait pu faire papa à trois cent millions de kilomètres de là? Ses six derniers cheveux auraient blanchi, voilà tout. Nous n'aurions pas été plus avancés.

C'est seulement alors que, ayant recouvré un minimum de sang-froid, je compris qu'il y avait quelque chose qui ne collait pas dans le message pirate que Clark avait glissé dans mon journal — en dehors de ses puériles fanfaronnades. Girdie...

Effectivement, il y avait deux jours que je ne l'avais pas vue. Elle travaillait par roulement et était à zig quand j'étais à zag. Les nouveaux employés n'ont pas les meilleurs postes. Toujours est-il que j'avais eu l'occasion de lui parler à un moment où mon frère avait probablement déjà disparu. J'avais tout simplement supposé que, pour de mystérieuses raisons qui lui appartenaient, il s'était levé de bonne heure. L'idée ne m'avait pas effleurée qu'il eût pu ne pas rentrer de la nuit.

Mais oncle Tom s'était entretenu avec Girdie pas plus tard que la veille, avant que nous nous rendions chez M. Cunha. Il lui avait demandé si elle avait vu Clark. Elle avait répondu non.

Je n'eus aucune difficulté à joindre Dom Pedro. Pas le Dom Pedro dont j'avais fait connaissance le soir de ma première rencontre avec Dexter mais le Dom Pedro de l'équipe de service. Il faut dire que, maintenant, tous les Dom Pedro connaissent Poddy Fries : c'est la jeune fille que l'on voit toujours avec M. Dexter. Mon interlocuteur me déclara sans hésiter que Girdie avait fini son service une demi-heure plus tôt et me conseilla de m'adresser à son Hilton. A moins que... Il s'interrompit pour s'informer. Apparemment, quelqu'un près de lui avait l'impression que Girdie était allée faire des courses.

Peut-être. Je savais déjà qu'elle n'était pas au petit Hilton où elle s'était installée (le somptueux Tannhäuser était trop cher). J'avais laissé un message lui demandant de me rappeler dès son arrivée.

Cela réglait la question. Je n'avais plus personne vers qui me tourner et il n'y avait plus rien à faire sinon attendre sans bouger le retour d'oncle Tom. Comme il me l'avait ordonné.

Aussi, j'empoignai mon sac, un vêtement et je sortis.

Je réussis quand même à faire trois mètres dans le couloir. Un énergumène à la musculature impressionnante me barra la route. J'essayai de le contourner mais il me dit :

— Non, mademoiselle Fries. Votre oncle a donné des ordres.

Je fis demi-tour et m'élançai au pas de course mais il était incroyablement rapide pour un type de ce format. Et me voilà arrêtée! Obligée de réintégrer l'appartement. En résidence surveillée! Tout compte fait, quelque chose me dit qu'oncle Tom n'a pas en moi une confiance absolue.

Je m'enfermai dans ma chambre et me mis à réfléchir sur la situation. Le ménage n'était pas encore fait, il y avait de la vaisselle sale un peu partout. En effet, malgré la barrière du langage, j'avais fait clairement comprendre à Maria et Maria que Mlle Fries n'aimerait pas, mais alors pas du tout, que quiconque — je dis bien quiconque! — fasse irruption dans sa chambre avant qu'elle n'en donne le signal en sortant et en laissant sa porte ouverte. L'encombrante table roulante à deux étages sur laquelle on m'avait apporté mon petit déjeuner était toujours près du lit, semblable à une cité mise à sac.

Je fourrai dans la baignoire tout ce qui se trouvait sur le plateau inférieur, recouvris l'autre de la serviette servant à dissimuler les assiettes sales aux yeux vite effarouchés des clients sérieux puis, décrochant le téléphone, demandai qu'on vienne immédiatement débarrasser ma chambre.

Je ne suis pas très grande. Je veux dire que l'on peut cacher une masse de quarante-neuf kilos ne mesurant qu'un mètre cinquante-sept dans un espace exigu à condition de tasser un peu. Le plateau inférieur de la table était dur mais je n'étais quand même pas trop à l'étroit. Il y avait un peu de ketchup que je n'avais pas remarqué.

Cependant, les ordres d'oncle Tom (peut-être était-ce ceux de M. Cunha) étaient suivis à la lettre. En principe, c'est à un commis qu'il incombe de venir chercher le chariot du déjeuner. Mais, en l'occurrence, ce furent les deux Maria qui le mirent dans le monte-charge de service. Et cela me permit d'apprendre quelque chose d'intéressant, encore que, à parler franc, je n'en fus pas tellement surprise. Maria dit quelque chose en portugais, l'autre Maria lui répondit en ortho avec autant d'aisance que j'aurais pu le faire moi-même :

— Elle est sans doute en train de se prélasser dans son bain, cette pécore flemmarde.

Je me dis qu'il faudrait que je me souvienne d'elle le jour de son anniversaire et à Noël.

Quelqu'un sortit le chariot du monte-charge je ne sais combien d'étages plus bas et le mit au rancart dans un coin. J'attendis quelques instants pour quitter ma cachette. Un homme revêtu d'un tablier plein de taches me contempla avec stupéfaction. Je lui dis : « Obrigado! », lui tendis un billet et sortis, le nez en l'air, par la porte de service. Deux minutes plus tard, j'étais dans un taxi.

Je viens d'enregistrer ce qui précède, tandis que mon taxi fonce en direction de la porte sud. Comme ça, au moins, je suis sûre de ne pas me ronger les ongles jusqu'aux coudes. Je dois avouer que, si je suis nerveuse, je me sens bien.

L'action est préférable à l'attente. Je suis prête à affronter le pire mais l'indécision me rend folle.

La bobine est presque finie. Je vais en mettre une autre et, quand j'arriverai à destination, j'expédierai celle-ci à l'oncle par la poste. Je sais bien que j'aurais dû laisser un mot. Mais cet enregistrement vaudra encore mieux qu'une lettre. J'espère...

13

Maintenant, je ne me plaindrai plus de ne pas avoir vu de fées. Elles sont effectivement aussi mignonnes qu'on le prétend, mais si je n'en vois plus jamais d'autres, je me ferai une raison.

Me lançant vaillamment au combat et affrontant des risques épouvantables, j'ai réussi par ma témérité à...

Cela ne s'est pas du tout passé comme ça. J'ai tout bousillé. Complètement. Résultat, je suis ici, quelque part en pleine brousse, dans une pièce sans fenêtres et qui ne possède qu'une seule porte. Une porte qui ne peut pas me servir à grand-chose vu la fée perchée au-dessus. C'est une petite créature adorable et la partie verte de sa fourrure ressemble à s'y méprendre à un tutu. Ce n'est pas à proprement parler un être humain miniature muni d'ailes, mais il paraît que plus on reste longtemps ici, et plus elles ont l'air humain. Ses yeux sont fendus comme ceux d'un chat et elle a un ravissant sourire fixé à demeure.

Je l'appelle « Titania » parce que je suis incapable de prononcer son véritable nom. Elle parle quelques mots d'ortho mais pas beaucoup parce que la capacité crânienne des fées n'est guère que le double de celle des chats. En fait, c'est une demeurée qui fait des études pour devenir une idiote — et qui n'étudie pas avec acharnement. La plupart du temps, elle reste juchée là-haut à pouponner son bébé qui a la taille d'un chaton et qui est deux fois plus mignon qu'un chaton. Je l'ai baptisé « Ariel » bien que je ne sois pas sûre de son sexe. Je ne suis pas sûre, non plus, de celui de Titania. A ce qu'on raconte, les mâles et les femelles allaitent. Ce n'est pas exactement de l'allaitement, d'ailleurs, mais cela aboutit au même résultat. Les fées ne sont pas mammifères. Ariel ne sait pas encore voler, mais Titania lui donne des leçons. Elle le lance à travers les airs, il s'arrange pour retomber en planant maladroitement et, quand il est par terre, il miaule piteusement jusqu'à ce que Titania vienne le chercher et lui fasse regagner le perchoir. Je consacre la majeure partie de mon temps à a) réfléchir; b) tenir mon journal à jour; c) essayer de persuader Titania de me laisser prendre Ariel (je fais quelques progrès : maintenant, elle m'autorise à le récupérer sur le plancher et à le lui rendre. Le bébé n'a absolument pas peur de moi); d) et à re-réfléchir ce qui me semble être une bien vaine occupation.

Parce que je peux me déplacer dans le périmètre de la pièce et faire tout ce que je veux, à condition de ne pas m'approcher de moins de deux mètres de la porte. Devinez pourquoi. Vous donnez votre langue au chat? Parce que les fées ont des dents et des griffes tout ce qu'il y a d'acéré. Elles sont carnivores. La méchante morsure et les deux profondes égratignures que j'ai au bras gauche en sont la preuve. Les plaies sont rouges, douloureuses et elles n'ont pas l'air de vouloir se cicatriser. Si j'ai le malheur de m'approcher de cette porte, Titania fond sur moi.

Cela mis à part, elle est tout à fait amicale et, matériellement parlant, je n'ai aucun grief à formuler. Plusieurs fois par jour, un indigène entre avec un plateau et la nourriture est vraiment très bonne. Mais je ne le regarde jamais, ni quand il arrive ni quand il vient rechercher le plateau. Parce que, de prime abord, les Vénériques ont l'air parfaitement humains. Seulement, plus on les regarde, plus ça vous donne la nausée. Vous avez vu des photos, sans aucun doute, mais les photos ne vous communiquent pas l'odeur. Il y a cette bave qui coule de leur bouche molle et on a l'impression que cette *chose* est morte depuis longtemps et que c'est une magie obscène qui l'anime.

Je l'appelle « l'Ahuri » et, pour lui, c'est un compliment. Je n'ai aucune hésitation sur le genre à employer : il suffit de le voir pour avoir envie d'entrer au couvent.

Je mange, parce que je suis convaincue que ce n'est pas l'Ahuri qui fait la cuisine. Je crois savoir qui est aux fourneaux. Normalement, elle devrait être un cordon bleu.

Je vais revenir en arrière, si vous le permettez. J'ai dit au marchand de journaux : « Donnez-m'en donc deux, il fait très sombre là où je vais. » Il a hésité, m'a regardée et j'ai répété la phrase.

Quelques instants plus tard, me voilà dans un autre aérotaxi en train de survoler la brousse. Avez-vous déjà tourné en rond dans le brouillard? Si oui, vous comprendrez. Je n'ai pas la moindre idée de l'endroit où je suis, sauf que c'est à deux heures de vol de Vénusberg et qu'il y a une petite colonie de fées dans les environs. Je les ai vues qui voletaient un peu avant l'atterrissage, et j'étais tellement passionnée que je n'ai pas fait très attention au lieu où nous nous posions. Le taxi s'est arrêté et la porte s'est ouverte. D'ailleurs, même si j'avais fait attention, cela ne m'aurait pas avancé...

Je suis sortie et le taxi a décollé aussi sec. Ses pales m'ont ébouriffé les cheveux. Il y avait une maison dont la porte était ouverte et j'ai entendu une voix familière :

— Poddy! Entrez ma chère, entrez!

J'ai éprouvé un tel soulagement que je me suis jetée dans ses bras et nous nous sommes étreintes. C'était Mme Grew, aussi obèse et aussi aimable que d'habitude.

J'ai regardé autour de moi. Clark était là, assis. Il m'a toisée, a laissé tomber : « Idiote! » et s'est détourné. Puis mon regard est tombé sur le tonton. Il était assis sur une autre chaise. J'allais me précipiter sur lui en hurlant de joie, mais l'étreinte de Mme Grew est brusquement devenue brutale et elle a dit d'une voix lénifiante : « Non, ma chère, pas si vite! » Elle ne m'a lâchée qu'après que quelqu'un (c'était l'Ahuri) m'eut fait quelque chose à la nuque. On m'installa alors dans un vaste et confortable fauteuil pour moi toute seule mais ça ne me plaisait pas parce que je ne pouvais pas bouger à partir du cou.

Je me sentais très bien, abstraction faite d'une curieuse sensation de picotement, mais j'étais incapable de faire un mouvement.

L'oncle ressemblait à M. Lincoln pleurant les morts de Waterloo. Il ne disait rien.

— Eh bien, voici la famille au grand complet! s'exclama gaiement Mme Grew. Peut-être êtes-vous disposé à discuter de façon plus raisonnable, sénateur?

Oncle Tom secoua la tête. D'un demi-centimètre.

— Allons! Un peu de bon sens! reprit-elle. Nous souhaitons que vous assistiez à la conférence mais nous voulons seulement que vous y participiez dans l'état d'esprit qui convient. Si nous ne trouvons pas un terrain d'entente... dans ce cas, je crains fort qu'on ne retrouve jamais aucun de vous trois. Cela ne va-t-il pas de soi? Et ce serait vraiment déplorable... surtout pour les enfants.

— Passez-moi la ciguë, dit l'oncle.

— Voyons! Je suis sûre que vous ne parlez pas sérieusement.

— Bien sûr que si! lança Clark sur un ton strident. Vous êtes une répugnante obscénité! Je vous rature et je vous censure!

Je compris que Clark était vraiment dans tous ses états parce que, en principe, il méprise les idiomes vulgaires. Selon lui, ils sont le signe d'un esprit inférieur.

Mme Grew le considéra d'un air placide — je dirai même affectueux. Puis elle rappela l'Ahuri et lui ordonna :

— Fais-le sortir et garde-le réveillé jusqu'à ce qu'il meure.

L'Ahuri se saisit de mon frère et l'entraîna hors de la pièce. Mais ce fut quand même Clark qui eut le dernier mot :

— D'ailleurs, s'écria-t-il, vous trichez en jouant au solitaire. Je vous ai vue!

L'espace d'une fraction de seconde, Mme Grew eut l'air vraiment consterné. Enfin, elle recouvra son expression aimable et se tourna vers oncle Tom :

— Maintenant que j'ai les deux enfants, je peux fort bien en sacrifier un. D'autant que vous avez un faible très net pour Poddy. D'aucuns iraient même jusqu'à dire que votre tendresse à son égard est exagérée. Les psychiatres, par exemple.

Je méditai sur ces derniers mots et parvins à la conclusion que si je réussissais jamais à sortir de ce guêpier, je l'écorcherais pour faire une descente de lit que j'offrirais au tonton.

Oncle Tom feignit de ne pas avoir entendu. Bientôt un tintamarre épouvantable éclata. Quelque chose de métallique tambourinant sur du métal. Mme Grew sourit.

— C'est rudimentaire mais efficace. A l'époque où ce domaine était un ranch, on se servait de cet instrument en guise de chaudière. Malheureusement, c'est un peu petit pour qu'on puisse s'y asseoir ou rester debout. Mais un garçon aussi mal élevé ne saurait s'attendre à être dorloté. Quant à ce bruit, c'est parce qu'on tape sur la chaudière avec un tuyau. (Elle battit des paupières et prit une mine rêveuse :) On ne pourra jamais discuter avec un pareil vacarme. Peut-être faudrait-il les éloigner. Ou les rapprocher? Nous arriverions peut-être plus vite à un accord si vous entendiez le ramdam qu'il fait à l'intérieur, lui aussi. Qu'en pensez-vous, sénateur?

J'intervins :

— Madame Grew!

— Oui? Excusez-moi, Poddy, mais je suis vraiment très occupée. Tout à l'heure, on va boire une bonne petite tasse de thé toutes les deux. Alors, sénateur...

— Madame Grew, vous ne comprenez absolument rien à mon oncle. Jamais vous n'obtiendrez quoi que ce soit de lui en vous y prenant de cette manière.

— Il me semble que vous exagérez, ma chère enfant. C'est un vœu pieux.

— Non! Pas du tout! Vous ne réussirez en aucun cas à obliger oncle Tom à faire quoi que ce soit de préjudiciable à Mars. Et si vous faites du mal à Clark — ou à moi —, le seul résultat sera de le rendre encore plus inflexible. C'est vrai, il m'aime et il aime aussi Clark. Mais si vous croyez pouvoir le faire fléchir en nous torturant, mon frère et moi, vous perdez votre temps!

J'avais parlé précipitamment et je sais donner une impression de sincérité à mon ton. Il me semblait entendre les hurlements de Clark. C'était peu vraisemblable, compte tenu de ce boucan infernal, mais quand il était tout petit, il était tombé dans le vide-ordures et il avait braillé de façon épouvantable jusqu'à ce que je vienne à son secours. Je crois que c'étaient ces cris qui me revenaient à l'esprit.

Mme Grew me sourit aimablement.

— Ma chère Poddy, vous n'êtes qu'une petite fille à la cervelle remplie de fadaises. Le sénateur va faire ce que je veux qu'il fasse.

— Si vous tuez Clark, certainement pas!

— Taisez-vous, mon enfant. Je vais vous expliquer. Mais si vous ne vous taisez pas, je vais vous donner une paire de gifles pour vous faire comprendre. Je n'ai pas l'intention de tuer votre frère, Poddy...

— Mais vous venez de dire...

— Silence! L'indigène qui est en train de s'occuper de lui n'a pas compris ce que je lui ai dit. Il ne connaît que l'ortho commercial. Et encore, seulement quelques mots. Une phrase entière, c'est trop pour lui. Mes propos étaient seulement destinés à votre frère. Et quand je le ferai revenir, il suppliera votre oncle de se soumettre à ma volonté. (Elle eut un sourire cordial :) On vous a inculqué un certain nombre d'imbécillités. Par exemple, que la patriotisme ou des choses aussi absurdes sont plus forts que l'intérêt individuel. Croyez-moi, je ne crains pas un seul instant qu'un vieux cheval de retour comme votre oncle attache le moindre crédit à ce genre de balivernes. Ce qui le fait broncher, c'est la peur de consommer sa ruine politique s'il fait ce que je veux qu'il fasse. Et ce qu'il va faire, n'est-ce pas, sénateur?

— Je ne vois aucun intérêt à discuter avec vous, madame, laissa sèchement tomber oncle Tom.

— Moi non plus. Et il n'est pas question de discuter. Mais vous pouvez écouter ce que j'ai à dire à Poddy. Votre oncle, ma chère enfant, est un entêté qui n'accepte pas d'un cœur léger de faire politiquement faillite. J'ai besoin d'un fouet pour le faire danser et vous êtes la chambrière idéale, je n'en doute pas.

— Sûrement pas!

— Vous voulez une gifle? Ou préférez-vous que je vous mette un bâillon? Je vous aime bien, ma petite Poddy. Ne m'obligez pas à user de la manière forte. J'ai dit que vous êtes le fouet idéal. Vous, pas votre frère. Oh! Il est certain que votre oncle fait solennellement mine de traiter son neveu et sa nièce sur le même pied en ce qui concerne les cadeaux de Noël, les présents d'anniversaires et autres fariboles, mais il saute aux yeux que personne ne peut éprouver de la sympathie pour Clark, pas même sa propre mère, j'ose le dire. Toutefois, le sénateur vous aime, vous. Plus que personne ne le soupçonne. Alors, je vais un peu torturer votre frère — cela n'ira pas très loin : au pire, il restera sourd — afin que votre oncle se rende compte de ce qui pourrait vous arriver à vous. A moins qu'il ne débite bien gentiment la tirade que je veux qu'il récite. (Elle contempla l'oncle d'un air rêveur :) Il y a deux méthodes et je ne sais pas laquelle est la meilleure, sénateur. Comprenez-moi bien. Quand vous aurez accepté de coopérer, je tiens à ce que vous vous rappeliez vos engagements. Il arrive parfois qu'un politicien que l'on a acheté retourne sa veste. Quand je vous aurai libéré, faudra-t-il que je laisse votre neveu vous accompagner en guise de pense-bête? Ou sera-t-il préférable de le garder ici et de le travailler un peu tous les jours sous les yeux de sa sœur pour qu'elle ait une idée précise de ce qui lui arriverait si jamais vous essayiez de jouer au petit soldat à Luna City? Qu'en pensez-vous, sénateur?

— La question ne se pose pas, madame.

— Vraiment?

— Non, pour la bonne raison que je ne me rendrai à Luna City qu'avec mon neveu et ma nièce. Indemnes.

Mme Grew pouffa.

— Ça, se sont des promesses électorales, sénateur. Nous en débattrons plus tard. Pour l'heure... (Elle jeta un coup d'œil à la montre montée en broche, piquée sur son corsage débordant :)... je vais faire arrêter ce tapage infernal. Ça me donne la migraine. D'ailleurs, je serais fort étonnée si votre neveu l'entendait encore, sauf, peut-être à travers ses os — par résonance.

Elle se leva et sortit avec une agilité et une grâce stupéfiantes pour une femme de cet âge et de cette corpulence.

Le tapage s'arrêta brutalement. Ma surprise fut telle que j'aurais fait un bond si mon corps n'avait pas été paralysé à partir des épaules.

Oncle Tom me regardait.

— Poddy, Poddy..., murmura-t-il.

— Mon oncle, il ne faut pas céder à cette horrible femme. Même d'un millimètre!

— Je ne peux transiger sur rien, Poddy. Pas un iota. Tu comprends, n'est-ce pas?

— Bien sûr! Mais tu pourrais faire semblant. Lui raconter n'importe quoi et t'en aller avec Clark comme elle te l'a proposé. Après, tu n'aurais plus qu'à venir à mon secours. Je tiendrai le coup.

Il avait pris un terrible coup de vieux.

— Poddy... ma petite Poddy chérie... j'ai bien peur que ce ne soit la fin. Il faut que tu sois courageuse.

— Dans ce domaine, je manque un peu de pratique mais je ferai de mon mieux.

Je me pinçai mentalement pour voir si j'avais peur. Eh bien, je n'avais pas peur. Pas réellement. Je ne sais pas mais j'étais incapable d'avoir peur en compagnie de mon oncle, bien qu'il fût réduit au même état d'impuissance que moi.

— Mais qu'est-ce qu'elle veut au juste, oncle Tom. C'est une espèce de fanatique ou quoi?

Il ne répondit pas car le rire tonitruant et joyeux de Mme Grew éclata :

— Une fanatique! répéta-t-elle en s'approchant. Ma chère Poddy, fit-elle en me tapotant la joue, je n'ai rien d'une fanatique et, pour être franche, la politique m'indiffère tout autant que votre oncle. Mais il y a belle lurette que j'ai appris — à l'époque je n'étais qu'une fillette et j'étais fort jolie, beaucoup plus que vous ne le serez jamais, ma petite — que le meilleur ami d'une femme, c'est encore l'argent. Non, mon enfant, je suis une professionnelle que l'on paye. Et une excellente professionnelle. Sénateur, enchaîna-t-elle sur un ton vif, j'ai l'impression que le garçon est sourd mais je ne puis l'affirmer avec certitude : il a perdu conscience. Nous reprendrons cette conversation plus tard. A présent, c'est l'heure de ma sieste et il serait préférable que nous prenions tous un peu de repos.

Sur ce, elle appela l'Ahuri qui me transporta dans la pièce où je suis actuellement. Quand il me souleva, j'eus un moment d'affolement. Je constatai que je pouvais bouger tant soit peu les bras et les jambes — j'avais des fourmis, ce n'était pas croyable — et je me débattis faiblement. Sans le moindre résultat puisqu'il me déposa ici comme un paquet.

Au bout de quelque temps, l'effet de la drogue s'atténua. Je me sentais presque normale bien que je fusse agitée de tremblements. Je ne tardai pas à m'apercevoir que Titania est un excellent chien de garde et je renonçai très vite à tenter d'atteindre la porte. Mon bras et mon épaule sont très douloureux et ils s'ankylosent.

Faute de mieux, j'examinai la pièce. Il n'y avait pas grand-chose comme mobilier. Un lit garni d'un matelas, sans couverture. Il est vrai que, avec ce climat, on n'en a pas besoin. Une sorte de table fixée au mur et, à côté, une chaise boulonnée au plancher. Des tubes à incandescence aux quatre coins. J'inspectai tout cela après avoir appris à mes dépens que Titania n'était pas simplement une adorable créature aux ailes diaphanes. De toute évidence, Mme Grew — ou la personne qui avait présidé à l'ameublement de cette chambre — avait eu l'intention bien arrêtée de ne rien laisser qui puisse servir d'arme. Et je n'avais plus rien, ni même mon manteau et mon sac.

C'était surtout la perte de mon sac que je déplorais car je transporte toujours des tas de choses utiles. Une lime à ongles, par exemple. Si je l'avais eue, ma lime, j'aurais peut-être envisagé un affrontement avec cette petite fée sanguinaire. Mais je ne perdis pas mon temps à me lamenter. Mon sac était là où je l'avais laissé tomber quand j'avais été droguée.

Je découvris un détail fort intéressant : Clark avait été séquestré dans cette pièce avant mon arrivée. En effet, une de ses valises était là. J'aurais sans doute dû m'apercevoir de son absence quand nous avions fouillé la chambre de mon frère, l'autre nuit, mais j'avais laissé oncle Tom terminer la perquisition tout seul. Cette valise contenait une panoplie bien curieuse pour un chevalier errant volant au secours d'une demoiselle en détresse : quelques vêtements — trois T-shirts, deux culottes, une paire de chaussures de rechange —, une règle à calcul et trois illustrés. Si j'avais découvert un lance-flammes ou de mystérieux produits chimiques, cela ne m'aurait pas étonnée. Ça aurait davantage ressemblé à Clark. Somme toute, si l'on va au fond des choses, Clark n'est rien de plus qu'un petit garçon en dépit de sa brillante intelligence.

La possibilité — ou la probabilité — qu'il soit devenu sourd me tarabustait un peu mais je cessai rapidement de m'en inquiéter. S'il était sourd, je n'y pouvais rien — et la perte de l'ouïe ne serait pas une grande catastrophe pour lui : n'importe comment, il n'écoute jamais les gens.

Aussi, je m'allongeai sur le lit et me plongeai dans les illustrés.

Je ne suis pas une fana de la bande dessinée, mais c'était très distrayant, d'autant que les héros finissaient toujours par sortir de situations beaucoup plus graves que celle dans laquelle je me trouvais. Finalement, je m'endormis et mon sommeil fut peuplé de rêves héroïques.

Je fus réveillé par le « breakfast » (qui ressemblait davantage à un dîner mais qui était très bon). L'Ahuri remporta le plateau. Les assiettes et la cuiller en matière plastique pouvaient difficilement être considérées comme des armes meurtrières. Néanmoins, je vis avec ravissement qu'il m'avait rapporté mon sac.

Un ravissement qui ne dura pas plus de dix secondes. Envolée ma lime à ongles, envolé mon canif. Il n'y avait rien de plus dangereux qu'un tube de rouge à lèvres et un mouchoir. Mme Grew n'avait touché ni à mon argent ni à mon mini-magnétophone, mais elle avait confisqué tout ce qui aurait pu être utile (ou nuisible). Je serrai les dents, me restaurai et mis à jour mon journal comme si cela pouvait servir à quelque chose. Depuis, mes activités se bornent à dormir, à manger et à faire ami-ami avec Ariel. Il me rappelle Duncan. Certes, il ne lui ressemble pas mais tous les bébés ont un air de famille, vous ne trouvez pas?

N'ayant rien de mieux à faire, je m'étais assoupie quand je fus réveillée par un :

— Ma petite Poddy...

— Oh! Bonjour, madame Grew.

— Doucement! Pas de gestes brusques, fit-elle sur un ton grondeur. (Je n'avais nulle intention de faire de gestes brusques : elle braquait un revolver sur mon nombril. Et j'y suis très attachée, à mon nombril. Je n'en ai qu'un seul.) Maintenant, retournez-vous et croisez vos mains derrière le dos comme une bonne petite fille.

J'obéis. En deux temps trois mouvements, elle m'attacha solidement les poignets, puis me passa le reste de la corde autour du cou et me tint en laisse : si je me débattais, je réussirais seulement à m'étrangler. Aussi, je ne me débattis point.

Oh, je suis sûre qu'il y a eu au moins un instant où son revolver s'était détourné avant que j'eusse les poignets liés. L'un ou l'autre des héros de ces bandes dessinées aurait saisi l'occasion aux cheveux pour la réduire à l'impuissance et la ligoter avec sa propre corde. Malheureusement, aucun de ces héros ne s'appelait « Poddy Fries ». Mon éducation n'avait pas été négligée. J'avais appris à faire la cuisine, je savais coudre, je connaissais des tas de choses en mathématiques, en histoire et en science, sans compter une foule d'à-côtés bien pratiques comme l'art de mouler les bougies et la fabrication du savon. Mais je n'avais que des notions rudimentaires en matière de combat rapproché, qui venaient des incidents de frontières m'ayant parfois opposée à Clark. Je sais que Mère considère que c'est là une lacune (elle connaît le jiu-jitsu et le karaté et elle tire aussi bien que mon père) mais papa n'était pas chaud pour que je fasse mes classes. J'ai comme l'impression qu'il ne désire pas vraiment que sa « petite fille » soit versée dans ce genre de choses.

Je suis d'accord avec maman, c'est une lacune. Je suis convaincue qu'il y a eu une fraction de seconde que j'aurais pu utiliser pour balancer un coup de pied dans le plexus solaire de Mme Grew, puis lui rompre le cou pendant qu'elle était hors de combat. Après quoi, il ne me serait plus resté qu'à amener le drapeau noir à la tête de mort et à envoyer l'Union Jack comme dans l'*Ile au Trésor*. Le facteur ne sonne qu'une fois. Et je ne lui ai pas ouvert.

Au lieu de cela, j'étais comme une marionnette accrochée à son fil. Titania nous suivit des yeux quand nous passâmes la porte mais

Mme Grew fit claquer sa langue et la fée, se juchant sur son perchoir, se mit à câliner Ariel.

Précédant Mme Grew qui me tenait en laisse, je franchis un vestibule, traversai la pièce où j'avais vu oncle Tom et Clark pour la dernière fois, passai par une autre porte, suivis un couloir donnant dans une grande chambre... et, suffoquée, exhalai un hoquet en retenant le cri qui me montait aux lèvres.

— Regardez bien, ma chère enfant, fit Mme Grew d'une voix guillerette. Voici votre nouveau compagnon de chambrée.

La moitié de la pièce était fermée par d'épais barreaux d'acier comme une cage de zoo. Et à l'intérieur de cette cage... eh oui! C'était l'Ahuri. J'étais si épouvantée qu'il me fallut un bon moment pour le reconnaître. Peut-être avez-vous compris que je ne le considère pas comme un play-boy. Eh bien, mes enfants, avant, c'était l'Apollon du Belvédère comparé au terrifiant forcené aux yeux injectés qu'il était devenu.

Quand je revins à moi, j'étais allongée par terre et Mme Grew me faisait respirer des sels. Eh oui! Le commandant Podkayne Fries, célèbre explorateur, était tombé dans les pommes comme une poule mouillée. Bon! Allez-y! Riez! Cela m'est bien égal. Il ne vous est jamais arrivé, à vous, de vous trouver face à face avec une créature de cet acabit qu'on vous présente comme votre « nouveau compagnon de chambrée ».

Mme Grew gloussa.

— Vous sentez-vous mieux, mon enfant?

— Vous n'allez pas me mettre là-dedans avec lui!

— Comment? Oh non! Bien sûr que non.

C'était seulement une de mes petites plaisanteries. Je suis sûre que votre oncle ne me contraindra pas à faire une chose pareille. (La mine songeuse, elle regarda l'Ahuri qui essayait de toutes ses forces de nous atteindre à travers les barreaux :) Il n'en a eu que cinq milligrammes et pour quelqu'un qui a une longue accoutumance à la poudre de vertige, c'est à peine suffisant pour l'exciter un peu. Si jamais je dois vous mettre avec lui — vous ou votre frère —, je lui ai promis au moins quinze milligrammes. J'ai besoin de votre avis, mon enfant. Je suis, voyez-vous, sur le point de renvoyer votre oncle à Vénusberg pour qu'il puisse prendre son astronef. Alors, quelle est la meilleure solution, selon vous? Mettre votre frère tout de suite dans la cage devant ses yeux? Parce qu'il nous voit, sachez-le. Il vous a vue vous évanouir — et vous ne vous en seriez pas mieux tirée si vous aviez fait une répétition. L'autre solution serait d'attendre et...

— Mon oncle nous observe?

— Mais oui, bien entendu. Je disais donc que l'autre solution...

— *Oncle Tom*!

— Mais taisez-vous donc, Poddy! Il vous voit mais il ne vous entend pas et il ne peut rien faire pour vous aider. Oh là là! Vous êtes tellement idiote que votre avis m'indiffère. Allez! Debout!

Elle me reconduisit dans ma cellule.

Depuis, quelques heures seulement se sont écoulées. J'ai l'impression que ce sont des années. Mais c'est suffisant, en tout cas, pour que mes nerfs aient craqué. Je n'ai aucune raison de raconter cela, c'est un secret entre moi et moi, mais j'ai toujours dit la vérité dans ce journal et je veux continuer de le faire. J'ai pris ma décision : dès que l'occasion me sera donnée de parler à oncle Tom, je le supplierai, je l'implorerai de faire... de faire n'importe quoi pour que je ne sois pas enfermée en compagnie de cet indigène drogué.

Je ne suis pas très fière de moi et je me demande si je serai encore fière de moi, un jour. Mais c'est ainsi et, si ça vous chante, mettez-moi le nez dans mon caca. J'ai été tellement épouvantée que je n'ai pas tenu le coup.

Cela me fait néanmoins du bien de l'avoir avoué sans ambages. J'espère tout de même que lorsque le moment sera venu, je ne pleurnicherai pas et que je ne me roulerai pas par terre. Mais je... je n'en sais rien.

Et puis, on poussa quelqu'un dans la pièce. C'était Clark!

Je sautai à bas du lit, le serrai dans mes bras, l'aidai à se relever et balbutiai :

— Oh! Clarkie! Est-ce qu'ils t'ont fait mal, frérot? Hein? Qu'est-ce qu'ils t'ont fait, dis-moi! Parle! Est-ce que tu es sourd?

Il me souffla dans le tuyau de l'oreille :

— Arrête de larmoyer, Pod.

Je retrouvais mon Clark : somme toute, il n'avait pas trop souffert. Je répétai plus calmement :

— Est-ce que tu es sourd?

— Non, chuchota-t-il, mais elle croit que je le suis et mieux vaut qu'elle continue de le penser.

Il s'arracha à mon étreinte, jeta un bref coup

d'œil à sa valise et fit rapidement — mais avec le plus grand soin — le tour de la pièce en marquant seulement un léger écart pour éviter que Titania ne fonde sur lui. Puis il revint vers moi, me fit face, son visage contre le mien, et dit :

— Poddy, est-ce que tu es capable de lire sur les lèvres?

— Non. Pourquoi?

— Tiens donc! Tu viens de le faire.

Ce n'était pas absolument vrai. Clark avait à peine murmuré sa question et je constatai que je lisais ce qu'il me disait sur ses lèvres autant que je l'entendais. C'est très drôle, mais d'après lui, il y a beaucoup de gens qui font cela sans s'en rendre compte. Il l'avait remarqué, s'était entraîné et était vraiment parvenu à lire les mots sur les lèvres. Seulement, il n'en avait jamais parlé à personne, parce que c'est parfois quelque chose de très utile.

Suivant ses directives, je parlai si bas que je ne m'entendais pas moi-même et c'était presque un dialogue de sourds.

— Je ne sais pas, commença-t-il, si la vieille Mme Grew (il n'avait pas dit « madame ») a installé des micros. Rien n'a apparemment changé depuis la dernière fois où je me suis trouvé dans cette pièce mais il y a au moins quatre endroits, et peut-être davantage, où un micro peut être dissimulé. Alors, il faut être discret parce que, logiquement, si elle nous a réunis, ce n'est pas sans raison. C'est pour entendre ce que nous pourrions nous dire. Tu vas donc parler tout haut autant que tu voudras mais uniquement pour faire du brouillage. Tu vas me raconter combien tu es terrorisée, que c'est épouvantable que je sois devenu sourd... bref, tout le bruit de fond que tu voudras.

Obéissant, je me mis à geindre, à larmoyer, à pleurer sur mon pauvre petit frère qui n'entendait pas un mot de ce que je lui disais, à lui demander inlassablement de me trouver un crayon pour transcrire mes questions — et, en même temps, nous avions une conversation sérieuse, la conversation importante que Clark ne voulait pas que Mme Grew entende.

Je lui demandai comment il se faisait qu'il n'était pas sourd. L'avait-on réellement mis dans la chaudière?

— Bien sûr, me répondit-il. Seulement, je n'étais pas aussi apathique qu'elle le croyait. J'avais du papier dans mes poches. Je l'ai mâché pour en faire une pâte avec laquelle je me suis bouché les oreilles. (Il arbora une mine chagrine :) Un billet de vingt unités! Je parie que personne ne s'est jamais servi de tampons acoustiques aussi dispendieux! Ensuite, je me suis enveloppé la tête dans ma chemise et j'ai attendu que ça se passe.

Quand je lui demandai comment il avait fait pour tomber dans le piège, il fut encore plus vague.

— Bon, d'accord... je me suis fait posséder. Mais l'oncle Tom et toi, vous n'aviez pas l'air plus malin. N'importe comment, tu es responsable.

— Moi? Absolument pas! répliquai-je dans un chuchotement indigné.

— Si tu n'es pas responsable, alors, tu es irresponsable, c'est encore pire. Soyons logiques. Mais oublions cela. Nous avons des choses plus importantes à régler. Ecoute voir, Poddy. Il faut qu'on s'échappe.

— Comment?

Je jetai un coup d'œil à Titania. Elle berçait Ariel mais son attention restait fixée sur nous. Clark suivit la direction de mon regard.

— Je me chargerai de cet insecte le moment venu, ne te casse pas la tête. Nous nous évaderons quand il fera nuit.

— Pourquoi?

Ce paradis englouti de brouillard était déjà assez éprouvant quand on voyait un peu, me disais-je. Mais en pleine obscurité...

— Laisse donc se cicatriser ce trou que tu as au milieu de la figure, Pod, tu fais des courants d'air. Il faut qu'on s'évade lorsque Jojo sera enfermé.

— Jojo?

— Ce paquet de muscles qui est à son service... l'indigène.

— Oh! C'est de l'Ahuri que tu parles?

— L'Ahuri, Jojo, Albert Einstein... comme tu voudras. L'amateur de poudre de vertige, quoi! Après avoir apporté le dîner, il lave les assiettes. Puis elle le boucle et lui donne sa ration de schnouffe pour la nuit. Elle le laisse enfermé jusqu'à ce qu'il s'endorme et cuve sa drogue parce qu'elle a autant peur de lui que n'importe qui. C'est pourquoi on tentera le coup pendant qu'il sera en cage. Peut-être qu'elle dormira, elle aussi. Avec un peu de chance, le type qui conduit son aérocar ne sera pas là. Il ne dort pas toujours ici; mais nous ne pouvons pas compter là-dessus et il faut absolument se faire la malle avant que le *Tricorne* ait pris le départ en direction de Luna. Quand doit-il appareiller?

— Le 8 à 17 h 12, heure de Greenwich.

— C'est-à-dire?

— En temps local? Mercredi 20, 9 h 16, heure de Vénusberg.

— On va vérifier.

— Mais pourquoi?

— Tais-toi.

Il avait sorti sa règle à calcul de sa valise et était déjà en train de la faire coulisser. Pour effectuer la conversion, supposai-je.

— Tu veux que je te donne la corrélation de cette année terrienne pour Vénus?

Je l'avais sur le bout de la langue comme un pilote chevronné et j'en étais assez fière. Monsieur Clancy n'avait peut-être pas réussi à me peloter, mais il n'avait pas totalement perdu son temps.

— Non, je la connais. (Clark lut le résultat.) Nos chiffres concordent et la conversion colle. Maintenant, vérifions nos montres.

Elles étaient d'accord à quelques secondes près. Toutefois, ce n'était pas la trotteuse qui m'intéressait, mais l'aiguille du calendrier.

— Clark! On est le 19 aujourd'hui!

— Tu croyais peut-être que c'était Noël, laissa-t-il tomber avec aigreur. Et cesse de brailler. Je te comprends sans que tu aies besoin de faire de bruit.

— Mais c'est demain! (Mon exclamation avait été silencieuse.)

— Pire encore, il nous reste moins de dix-sept heures et il n'est pas question d'agir tant que cette brute n'est pas enfermée. Nous n'avons qu'une carte à jouer, et une seule.

— Oncle Tom n'assistera pas à la conférence?
Il haussa les épaules.

— Peut-être bien que si, peut-être bien que non. Ou il décide de s'y rendre ou il reste là pour essayer de nous retrouver — mais je m'en balance éperdument.

Compte tenu de son caractère, Clark se montrait remarquablement loquace. Mais il parlait en pointillé et je ne comprenais pas.

— *S'il reste là*? Qu'est-ce que tu veux dire?

Apparemment, il pensait qu'il me l'avait expliqué ou que j'étais déjà au courant. Ce qui n'était pas le cas. Oncle Tom était déjà parti! Je me sentis brusquement perdue, abandonnée.

— Tu en es sûr, Clark?

— Dame! Elle a fait ce qu'il fallait pour que je le voie partir. Jojo l'a fourré dans un sac de viande et l'aérocar a disparu dans le brouillard. Oncle Tom est à Vénusberg à l'heure qu'il est.

Du coup, je fus toute ragaillardie.

— Alors, il va venir à notre secours!

— Quand cesseras-tu d'être totalement abrutie, Pod? soupira-t-il avec ennui.

— Mais si, il viendra! Oncle Tom... et le président Cunha... et Dexter...

Il m'interrompit.

— Pour l'amour du ciel, Poddy, fais un peu fonctionner ta matière grise! Tu es oncle Tom, tu es à Vénusberg, tu as toute l'aide possible. Bon. Comment vas-tu faire pour retrouver cet endroit?

— Euh... (Je m'arrêtai. Répétai :) Euh...

Et refermai la bouche. Définitivement.

— Eh oui! *Euh*. Exactement! Tu ne le trou-

veras pas. Oh! Au bout de huit ou dix ans, avec
quelques milliers de personnes qui ne feraient
rien d'autre que de le chercher, tu réussirais
peut-être finalement à le repérer en procédant
par élimination. Cela nous ferait une belle jambe. Enfonce-toi bien cela dans la tête, sœurette :
personne ne viendra à notre secours, personne
ne peut rien faire pour nous. Ou nous faisons la
belle cette nuit, ou les carottes sont cuites.

— Pourquoi cette nuit? Je suis d'accord, bien
sûr, mais si ça ne marche pas aujourd'hui...

Il me coupa à nouveau :

— Dans ce cas, demain, à 9 h 16, nous serons
morts.

— Hein? Mais pourquoi?

— Réfléchis, Pod. Mets-toi dans la peau de
la mère Tape-Dur. Demain le *Tricorne* décolle.
De deux choses l'une : ou bien oncle Tom est à
bord, ou bien il n'y est pas. O.K. Tu as sa nièce
et son neveu en otages. Que vas-tu faire d'eux?
Il n'y a qu'une seule réponse logique. Une logique
conforme à celle de cette bonne femme.

Je fis vraiment des efforts mais l'éducation
que j'ai reçue me rend rétive à ce genre de logique. Je ne m'imagine vraiment pas en train
d'assassiner quelqu'un sous prétexte que ce quelqu'un est devenu gênant.

Mais je voyais quand même que Clark avait
raison jusque-là : après le départ du *Tricorne*,
nous serons, lui et moi, une gêne pour Mme Grew.
Si oncle Tom ne part pas, nous serons particulièrement gênants. S'il part et si elle compte sur
son inquiétude pour qu'il adopte la position
qu'elle entend lui voir adopter à Luna City (il
n'en fera rien, bien évidemment, mais elle table

quand même là-dessus), elle court le risque que nous nous échappions un jour ou l'autre et que nous réussissions à prévenir le tonton.

Bon, c'est entendu, un meurtre pur et simple est une chose que je suis incapable d'imaginer. C'est en dehors de mon expérience. Mais si jamais nous succombions à la peste verte, Clark et moi... Voilà qui ferait l'affaire de Mme Grew, non?

— Vu, murmurai-je.

— Parfait. Ecoute voir, Pod. Je vais te mettre au parfum. Ou on se fait la paire cette nuit ou elle nous dégringole demain, passé 9 heures. Elle réglera aussi son compte à Jojo et mettra le feu à la baraque.

— L'Ahuri? Pourquoi?

— L'amateur de schnouffe, c'est son point faible. Nous sommes sur Vénus, figure-toi, et nous savons qu'elle approvisionne un drogué en stup. Alors, elle ne laissera pas de témoins, fais-moi confiance.

— Oncle Tom est un témoin, lui aussi.

— Et après? Elle compte sur lui pour la boucler jusqu'à ce que la conférence soit terminée et, à ce moment-là, elle aura regagné la Terre. Essaye donc de la retrouver au milieu de huit milliards de gens! Elle ne traînera pas ici au risque de se faire prendre, Pod. Elle attendra juste le temps qu'il faudra pour savoir si oncle Tom embarque ou non à bord du *Tricorne*. Ensuite, elle passera à l'application du plan A ou du plan B. Et tous les deux présupposent notre élimination. J'aimerais que tu te mettes ça dans la tête.

— J'ai compris, répondis-je en frissonnant.

Il sourit.

— Seulement, nous, nous n'attendrons pas. Nous allons exécuter notre plan — mon plan — en la prenant de vitesse. (Il avait l'air incroyablement suffisant :) Tu as tout bousillé, enchaîna-t-il, et tu as rappliqué ici sans rien avoir fait de ce que je t'avais dit de faire. L'oncle Tom a également saboté le travail en se figurant qu'il obtiendrait gain de cause mais, moi, j'avais tout préparé.

— Vraiment? Et qu'est-ce que tu avais prévu? Ta règle à calcul? A moins que ce ne soit tes illustrés!

— Tu sais très bien que je n'en lis jamais, Pod. Ce n'était qu'un camouflage.

(Et, pour autant que je le sache, c'est la vérité. Moi qui avais cru avoir découvert son vice secret!)

— Alors, qu'est-ce qu'on fait?

— Arme-toi de patience, ma sœur adorée. Chaque chose en son temps. (Il tira son sac de dessous le lit :) Poste-toi là-bas et surveille le hall. Si Lady Macbeth se pointe, je serai plongé dans mes bandes dessinées.

J'obéis, mais je lui posai encore une question. Une question tout à fait en dehors du sujet car harceler Clark quand il a décidé de ne pas répondre est une entreprise aussi vaine que de vouloir faire un trou dans l'eau avec un couteau.

— Tu crois que Mme Grew fait partie de la bande qui voulait faire passer cette bombe en douce?

Il battit des paupières et me regarda d'un air ahuri.

— Quelle bombe?

— Quelle bombe! Mais celle qu'ils t'ont

demandé d'introduire à bord du *Tricorne* en te graissant la patte, bien sûr!

— Ça, c'est la meilleure! Vraiment, tu avales tout ce qu'on te raconte. Quand tu seras sur Terra, si jamais quelqu'un te propose d'acheter les pyramides, n'en crois pas un mot : elles ne sont pas à vendre.

J'avalai la couleuvre tandis qu'il trafiquait je ne sais quoi. Enfin, au bout de quelques instants, il rompit le silence :

— Elle ne pouvait évidemment pas savoir qu'il y avait une bombe à bord du *Tricorne*. Sinon, elle n'aurait pas été parmi les passagers.

Clark a l'art et la manière de me désarçonner. C'était tellement évident (après qu'il l'eut souligné) que je m'abstins de tout commentaire.

— Alors, comment expliques-tu qu'elle y était?

— Peut-être qu'elle a été recrutée par les mêmes gens et qu'elle ne savait pas qu'ils se servaient seulement d'elle comme troupe de réserve.

Mon cerveau tournait à plein régime. Et j'eus une illumination :

— Dans ce cas, peut-être y avait-il un troisième complot ayant pour but de faire disparaître l'oncle Tom entre Vénus et Luna!

— Ce n'est pas exclu. Il est évident qu'une foule de gens s'intéressent à lui. Mais, à mon avis, il existe deux groupes. Le premier — qui est presque certainement martien — ne veut en aucun cas qu'il arrive à Luna-City. Le second — qui est probablement terrien : Mme Grew, tout au moins, s'est embarquée sur Terra — souhaite qu'il y aille mais seulement pour chanter leur petite chanson à eux. Autrement, la mère Grew n'aurait' jamais relâché le tonton alors qu'elle l'avait sous la main. Elle aurait tout simplement ordonné à Jojo de le balancer dans les marécages et de ne revenir que lorsqu'il n'y aurait plus de bulles. (Clark sortit de son sac un objet qu'il examina :) Pod, tu vas répéter ce que je vais te dire sans faire de bruit. Tu es exactement à vingt-trois kilomètres de la porte sud. Sept degrés sud-ouest.

Je répétai.

— Comment le sais-tu?

Il me montra un petit truc noir pas plus gros que deux paquets de cigarettes.

— Ceci est un traceur à inertie. Le modèle en usage dans l'infanterie. Ça se trouve partout. Tous ceux qui vont dans la brousse en ont un.

Il me le tendit et je l'étudiai avec intérêt. Je n'avais jamais vu un traceur aussi petit. Les rats des sables se servent de ces instruments, bien sûr, mais les leurs sont plus gros, plus précis, et ils font partie de l'équipement de leurs chars des sables. N'importe comment, sur Mars, les étoiles et le soleil sont toujours visibles. Ce n'est pas comme sur cette sinistre planète! Mais si le traceur à inertie du *Tricorne* avait, en principe, une précision de l'ordre du millionième, celle de ce petit gadget n'excédait certainement pas le millième.

Toutefois, cela améliorait nos chances dans un rapport de un à mille!

— Oh! Clark! Est-ce qu'oncle Tom en avait un? Parce que s'il...

Il secoua la tête.

— S'il en avait un, il n'a pas eu l'occasion de

s'en servir. Je présume qu'ils ont commencé par l'estourbir. Quand ils l'ont embarqué dans l'aérocar, il était inconscient. Et je n'ai pas pu lui donner les coordonnées du coin parce que c'est la première fois que je peux jeter un coup d'œil sur mon traceur. Mets-le dans ton sac. Tu en auras besoin pour rentrer à Vénusberg.

— Mais il est trop volumineux, ça se verra. Il vaut mieux que tu le remettes dans sa cachette. Nous ne nous perdrons pas. Je ne te lâcherai pas la main pendant tout le trajet.

— Non.

— Pourquoi?

— Primo, je ne vais pas emporter ma valoche et c'est là-dedans que je l'avais caché. J'ai fabriqué un double fond. Ensuite, nous n'allons pas rentrer ensemble...

— Qu'est-ce que tu racontes? Mais bien sûr que si, Clark! Je suis responsable de toi.

— Ça, c'est une question d'opinion. La tienne. Ecoute-moi, Poddy. J'ai l'intention de te faire sortir de ce guêpier imbécile. Mais n'essaye pas de te servir de ta tête, elle a des fuites. Sers-toi seulement de ta mémoire. Tu feras exactement ce que je te dirai de faire et tout ira bien.

— Mais...

— Est-ce que tu as un plan d'évasion, toi?

— Non.

— Eh bien, boucle-la. Si tu commences à vouloir faire ton numéro de grande sœur aînée, on se fera tuer tous les deux.

Je la bouclai. Je dois reconnaître que son plan était des plus astucieux. Selon lui, il n'y avait personne dans la maison en dehors de nous, de Mme Grew, de Titania, d'Ariel et de l'Ahuri

— et, de temps en temps, du chauffeur. Je n'avais, en tout cas, ni vu ni entendu personne d'autre et je suppose que Mme Grew se débrouillait pour qu'il n'y ait qu'un minimum de témoins. Je sais bien que c'est ce que je ferais si (Dieu m'en préserve!) je me lançais jamais dans une entreprise aussi ignominieuse et criminelle. Quant au chauffeur, je ne l'ai jamais aperçu et Clark non plus. Ce qui n'est pas un hasard, j'en suis convaincue. Mais d'après mon frère, il lui arrive parfois de passer la nuit ici et il faut prévoir le cas où nous nous trouverions face à face avec lui.

Eh bien, prenons cette hypothèse. Dès que nous serons sortis, nous nous séparerons. J'irai à l'est, Clark à l'ouest et nous foncerons droit devant nous pendant deux kilomètres. Dans la mesure où les fondrières et les marécages nous permettront de suivre un itinéraire rectiligne. Peut-être n'y en aura-t-il pas tellement.

Au bout de deux kilomètres, nous mettrons tous les deux le cap au nord. Selon Clark, la rocade de la ville se trouve à trois kilomètres au nord. Il m'a fait un dessin de mémoire d'après la carte qu'il avait étudiée avant de partir « à la rescousse de Girdie ». Une fois à la rocade, je prendrai à droite et lui à gauche. Nous ferons du stop, nous téléphonerons dans un ranch ou n'importe quoi, l'objectif étant de joindre oncle Tom et (ou a défaut) le président Cunha, pour demander des renforts en vitesse.

L'idée de nous séparer est la tactique la plus élémentaire. Ainsi, nous serons au moins sûrs d'une chose : l'un d'entre nous réussira à filer pour chercher de l'aide. Mme Grew est si grosse qu'elle serait bien incapable de poursuivre quelqu'un sur une cendrée. Alors, au milieu des marais... Nous passerons à l'action au moment où elle aura trop peur pour oser libérer l'Ahuri. Si quelqu'un se jette à nos trousses, ce sera probablement le chauffeur — et il ne pourra pas courir dans deux directions à la fois. Peut-être y a-t-il d'autres indigènes auxquels elle pourra faire appel mais, même dans cette éventualité, nous multiplirons nos chances par deux en nous séparant.

C'est moi qui aurai le traceur à inertie parce que Clark ne pense pas que je réussirai à me repérer dans la brousse, même si j'attends qu'il fasse jour. Il a peut-être raison. Mais il affirme qu'il n'aura pas de difficultés à trouver la route en se servant seulement de sa montre, de lunettes polarisées et en mouillant son doigt pour connaître la direction du vent. Et le plus fort, c'est qu'il a ces accessoires avec lui.

Je n'aurais pas dû faire le coup du mépris à ses bandes dessinées. En vérité, il ne s'était pas embarqué sans biscuit. S'ils ne l'avaient pas gazé quand il était encore enfermé dans l'habitacle de l'aérocar de Mme Grew, j'ai l'impression qu'il leur aurait fait passer un fichu quart d'heure. Il avait tout ce qu'il fallait dans sa valise et sur lui : un lance-flammes, un pistolet Remington, des couteaux, des bombes soporifiques et même un *second* traceur à inertie placé bien en évidence avec ses vêtements, ses illustrés et sa règle à calcul. Quand je lui demandai pourquoi il en avait emporté deux, il prit son air supérieur :

— Si quelque chose devait mal tourner et si je me faisais capturer, ils se seraient attendus que j'en aie un. Alors, j'en avais un. Même pas armé! Le malheureux néophyte qui n'est même pas assez malin pour le déclencher en quittant son camp de base! Elle a pris une pinte de bon sang, la mère Tape-Dur! (Il eut un reniflement dédaigneux :) Elle me croit un peu demeuré et j'ai fait de mon mieux pour la conforter dans cette opinion.

Ainsi, cela s'était passé comme pour mon sac. Ils avaient confisqué tout ce qui, dans l'attirail de Clark, était susceptible de servir, même indirectement, à des fins meurtrières. Et ils avaient laissé le reste. Or, la quasi-totalité de ce reste était cachée dans un double fond si bien agencé que le fabricant lui-même n'y aurait vu que du feu.

Toutefois, il y avait le problème du poids. Quand je posai la question à Clark, il haussa les épaules et me répondit :

— C'était un risque calculé. Si on ne parie pas, on ne gagne jamais. Jojo a amené ma valise ici, elle l'a fouillée sur place et l'a laissée. Elle a récupéré tout un capharnaüm sans intérêt. Je me moquais bien qu'elle le saisisse.

(Mais à supposer qu'elle ait soulevé la valise et remarqué son poids? Bah! Clark aurait toujours eu sa cervelle et ses mains à sa disposition et je le crois capable de démonter une machine à coudre pour la transformer en pièce d'artillerie. Mon frère, c'est un choléra, mais j'ai la plus grande confiance en ses talents.)

Maintenant, je vais dormir — ou essayer. L'Ahuri vient de nous apporter le dîner et nous allons avoir du travail, tout à l'heure. Mais je vais d'abord repiquer cet enregistrement. Il me reste encore une bobine vierge dans mon sac. Je donnerai la copie à Clark pour qu'il la remette à oncle Tom, à toutes fins utiles. C'est-à-dire pour le cas où je me retrouverais au fond d'un marécage à faire des bulles. Mais je ne me tracasse pas pour cela. C'est une perspective beaucoup plus riante que de devenir la compagne de chambrée de l'Ahuri. En fait, je suis parfaitement sereine. Clark a la situation bien en main.

Mais il a fortement insisté sur un point :

— Dis-leur qu'ils arrivent avant 9 h 16 et avec une bonne marge. Sinon, pas la peine qu'ils viennent.

— Pourquoi? lui demandai-je, intriguée.

— Dis-leur ça, c'est tout.

— Clark, tu sais très bien que deux grandes personnes ne tiendront aucun compte de ma recommandation si je ne peux leur donner une raison valable à l'appui.

Il cilla.

— Eh bien, soit. Il y a une raison on ne peut plus valable. Une bombe d'un demi-kilotonne, ce n'est pas grand-chose, mais il est quand même malsain de se trouver dans son voisinage quand elle explose. S'ils ne sont pas là assez tôt pour la désarmer... boum! Elle pètera!

Il l'a! Je l'ai vue de mes yeux, douillettement nichée dans le double fond de sa valise. Mes trois inexplicables kilos d'excédent de bagages! Clark m'a montré le mécanisme de retardement et les charges profilées dont elle est ceinturée pour produire une implosion par contrainte centripète.

Mais il ne m'a pas montré comment on fait pour la désarmer. Je me suis heurtée au mur impénétrable de son entêtement. Il a bon espoir de s'évader, oui, et de revenir avec toute l'aide nécessaire à temps pour la désarmer. Mais il est intimement convaincu que Mme Grew a l'intention de nous assassiner. Et si jamais tout ne se passe pas comme prévu, si nous ne réussissons pas à nous échapper, si nous mourons en tentant de fuir, ou quoi ou qu'est-ce... eh bien, il entend l'entraîner dans la mort avec nous.

Je lui ai dit qu'il avait tort, qu'il n'appartient pas à un individu de se faire justice. Il a répliqué :

— Quelle justice? Il n'y a pas de justice, ici. Et tu n'es pas logique, Pod. Ce qu'un groupe a le droit de faire, une personne a le droit de le faire, elle aussi.

Cet argument était trop spécieux pour que je sois capable d'y répondre. Aussi, je me contentai de le supplier. Il s'est mis en colère.

— Tu préférerais peut-être être dans la cage avec Jojo?

— Euh... non.

— Eh bien, n'en parlons plus. Ecoute, Pod, ce plan, je l'ai mis sur pied quand j'étais dans ce corps de chaudière où elle m'avait fait mettre pour que je devienne sourd. J'ai conservé ma raison en pensant à autre chose, en me concentrant sur ma vengeance. Quand, comment je la transformerais en bouillie!

Je me demandai s'il avait réellement gardé sa raison mais je conservai mes doutes pour moi et me tus. D'ailleurs, je ne suis pas tellement sûre qu'il ait tort. Peut-être que c'est simplement l'idée de répandre le sang qui m'effarouche.

Tout de même, je ne sais pas trop si je pourrai dormir avec une bombe atomique sous mon lit.

POSTLUDE

Je crois qu'il vaut mieux que je termine.

Ma sœur s'est endormie après que je lui ai eu expliqué ce qu'on allait faire. Moi, je me suis allongé par terre mais, contrairement à elle, je ne me suis pas endormi tout de suite. Je suis un inquiet, pas Pod. J'ai réexaminé mon plan en essayant de l'améliorer encore. Finalement, je me suis quand même endormi.

J'ai un réveil dans le ventre et j'ai ouvert les yeux une heure avant le lever du jour comme prévu. Plus tard, Jojo risquait d'être libéré et, plus tôt, cela aurait demandé trop de temps dans l'obscurité. Même quand on voit clair, la brousse vénusienne est périlleuse et je ne voulais pas que Poddy s'enlise ou marche sur quelque chose qui lui boulotterait la jambe. Idem pour moi.

Seulement, il n'y avait pas trente-six solutions : ou nous acceptions les aléas de la brousse ou nous laissions la mère Tape-Dur se débarrasser de nous bien gentiment. Dans le premier cas, il nous restait une chance. Dans le second, c'était la mort sans phrases bien que j'aie eu un mal fou à convaincre Poddy que Mme Grew n'hésiterait pas à nous exécuter. Le point faible de ma sœur, là où vraiment ça ne tourne pas rond dans sa tête, quoique, pour le reste, elle ne soit pas tellement bête, c'est son incapacité presque absolue à admettre que certaines personnes sont aussi tarées qu'elles le sont. Le mal est une chose qui

239

lui échappe et qui lui a toujours échappé. Le maximum qu'elle peut imaginer, c'est la rosserie.

Mais moi, la méchanceté, je la comprends et je comprends comment fonctionne l'esprit de quelqu'un comme Mme Grew. Peut-être allez-vous penser que je suis vicieux, au moins jusqu'à un certain point. Eh bien, voulez-vous que je vous dise? Je ne sais pas ce que je suis mais je savais que Mme Grew était une malfaisante avant même de débarquer du *Tricorne*, alors que Poddy (et même Girdie!) s'était entichée de cette grognasse pour laquelle elle n'avait pas de mots assez gentils.

Une personne qui rit quand il n'y a aucune raison de rire, je m'en méfie. De même qu'une personne qui est toujours de bonne humeur, quelles que soient les circonstances. Quand ça atteint un tel degré de perfection, c'est du bidon. Alors, je l'ai observée. Elle trichait en jouant au solitaire. Confirmation supplémentaire!

C'est pourquoi, entre la brousse et Mme Grew, j'ai choisi la brousse. Pour ma sœur comme pour moi. A moins que l'aérocar ne soit là et qu'on puisse l'arraisonner. Ce serait une victoire douteuse car, dans ce cas, nous aurions affaire à deux adversaires armés. Et, nous, nous serions désarmés. (Je ne considère pas une bombe comme une arme parce que, avec une bombe, comment voulez-vous viser la tête de quelqu'un?)

Avant de réveiller Poddy, j'ai réglé le compte de cette « fée » ailée pseudo-simienne. La sale petite bête! Je n'avais pas de fusil mais, somme toute, c'était préférable. Elles savent ce qu'est un fusil et il n'est pas facile de les tirer. Elles vous fondent dessus aussi sec.

Seulement, il y avait des embauchoirs dans mes chaussures de rechange, j'avais des élastiques dans mes poches et un certain nombre de billes d'acier de deux centimètres de diamètre. Il suffit de dévisser deux écrous à ailettes et un embauchoir devient une fourche d'acier. Attachez-y un caoutchouc et vous avez une fronde. Ne riez pas! Plus d'un rat des sables a survécu en chassant rien qu'avec une fronde. C'est une arme silencieuse et, en général, on récupère les projectiles.

J'ai visé trois fois plus haut que je ne l'aurais fait sur Mars compte tenu de l'intensité de la pesanteur et je l'ai atteinte de plein fouet dans le sternum. Elle a dégringolé de son perchoir. Je lui ai écrasé le crâne d'un coup de talon et, en prime, je lui ai tordu le cou pour lui apprendre à mordre Poddy. Le jeune s'est mis à geindre. J'ai poussé le cadavre dans un coin de façon qu'il soit hors de vue et j'ai posé le petit dessus. Il s'est tu. J'avais pris soin de procéder à l'opération avant de réveiller Poddy parce que je savais qu'elle avait des idées sentimentales en ce qui concernait les « fées » et je ne tenais pas à ce qu'elle pique une crise de nerfs et s'accroche à moi. Ça a été un travail propre et vite fait.

Elle continuait de ronfler. Je me suis déchaussé et je me suis livré à une reconnaissance rapide.

Les choses ne s'annonçaient pas tellement bien. La sorcière était déjà levée et elle était en train de chercher son manche à balai. D'ici quelques minutes, elle ouvrirait la cage de Jojo, si ce n'était déjà fait. Je n'eus pas le temps de vérifier si l'aérocar était là car il ne fallait surtout

241

pas me faire prendre. Je rentrai dans la pièce à toute vitesse et secouai Poddy.

— Pod... Tu es réveillée? lui demandai-je à voix basse.

— Oui.

— Tout à fait? C'est maintenant que tu entres en scène. Alors, il faut que tu cries fort et que tu sois convaincante.

— D'accord.

— Aide-moi à grimper sur le perchoir. Tu peux malgré ton bras?

Elle secoua la tête affirmativement, sauta vivement à bas du lit et prit position devant la porte, bras tendus. Je lui saisis les poignets, sautai sur ses épaules. Quand je fus en équilibre, elle m'agrippa aux mollets et je la lâchai. Une fois juché sur le perchoir au-dessus du chambranle, je lui fis signe. Elle sortit en trombe, hurlant : « Madame Grew! Madame Grew! Au secours! Au secours! Mon frère... » C'est une actrice consommée.

Elle rappliqua au pas de course presque en même temps que Mme Grew qui, haletante, lui collait aux talons. Je me laissai choir sur le dos de la mère Tape-Dur qui s'affala sur le plancher et, d'un coup sec, lui fis lâcher son pistolet. Je lui tordis le cou avant même qu'elle ait eu le temps de reprendre son souffle.

Poddy n'a pas les deux pieds dans le même sabot, il faut le reconnaître. Elle s'était emparée du pistolet avant même que celui-ci fût arrivé au bout de sa trajectoire. Elle le saisit au vol, l'air ahuri. Prudent, je le lui repris.

— Va chercher ton sac. On met les voiles. Surtout, reste derrière moi.

242

Seulement, voilà : Jojo était lâché. J'avais mal calculé mon temps. Il était dans le salon, attiré, sans doute, par tout ce raffut. Je l'abattis.

Puis je me mis à la recherche de l'aérocar, l'arme au poing parce que je pensais au pilote. Et rien : ni aérocar ni pilote. Je ne savais pas si je devais prendre le deuil ou pavoiser. J'avais tout prévu pour le descendre s'il ne me descendait pas avant. Mais j'aurais préféré un aérocar à une marche forcée à travers la brousse.

A ce moment, je faillis modifier mon plan — et j'aurais peut-être été bien avisé de le faire. Au lieu de nous séparer, foncer tous les deux en direction de la rocade.

Ce fut le pistolet qui me décida. Avec lui, Poddy pourrait se défendre. Moi, je n'aurais qu'à faire attention pour savoir où je mettrais les pieds. Je lui remis l'arme et lui dis d'avancer lentement et prudemment jusqu'à ce qu'il fasse plus clair, mais de ne pas s'arrêter.

Elle fit un grand moulinet avec le pistolet.

— Mais Clark, je n'ai jamais tiré sur personne!

— Eh bien, il faudra bien que tu tires si besoin est.

— Tu as sans doute raison.

— C'est bête comme chou. Il n'y a qu'à viser et appuyer sur le bouton. Je te conseille de le tenir à deux mains. Mais ne fais feu que si c'est vraiment indispensable.

— Entendu.

Je lui flanquai une claque sur le derrière.

— Maintenant, du vent! A tout à l'heure!

Et je me mis en marche. Je me retournai mais le brouillard avait déjà englouti Poddy. Je commençai par m'éloigner à distance respectueuse de la maison à toutes fins utiles, puis m'efforçai de mettre le cap approximativement à l'ouest.

Et je me paumai. Tout bêtement. J'aurais eu besoin du traceur mais je m'étais figuré que je pourrais m'en passer et qu'il fallait que ce soit Pod qui l'ait. J'étais totalement perdu. J'avais beau me mouiller le doigt, il n'y avait pas assez de vent pour me donner la moindre indication et les lunettes polarisées servant à repérer le soleil sont beaucoup moins efficaces qu'on ne pourrait le croire. Des heures après le moment où j'aurais théoriquement dû avoir rejoint la rocade, j'étais encore en train de contourner des fondrières et des trous d'eau en m'efforçant d'éviter de servir de casse-croûte aux hôtes de ces lieux.

Soudain, il y eut une lueur si aveuglante que c'était incroyable. Je me jetai à plat ventre, la tête dans mes bras et me mis à compter.

En ce qui me concernait, aucun dégât. A cause de l'effet de souffle, j'étais couvert de boue et le bruit était assourdissant mais j'étais très loin de la zone de danger. Une demi-heure plus tard, environ, un aérocar de la police me récupéra.

J'aurais évidemment dû la désarmer, cette bombe. Cela avait été mon intention dans l'hypothèse où tout se passerait bien. En fait, au cas où l'affaire aurait mal tourné, elle devait seulement, dans mon esprit, jouer le rôle de la mâchoire d'âne de Samson dans le temple. L'ultime recours, quoi!

J'aurais dû prendre le temps de la désarmer après avoir brisé le cou de la mère Tape-Dur. Mais je ne l'avais pas fait. J'avais eu du pain sur la planche, il est vrai : liquider Jojo, prendre une décision, expliquer à Poddy comment on se sert d'un pistolet et la mettre en route. Je n'ai repensé à la bombe qu'au bout de plusieurs centaines de mètres et je n'avais aucune envie de revenir sur mes pas, à supposer même que je réussisse à retrouver la maison dans le brouillard, ce qui était douteux.

Mais c'est apparemment ce que Poddy avait fait. Elle y était retournée, je veux dire. On l'a retrouvée quelques heures plus tard à un kilomètre de la baraque. Elle était à l'extérieur de la zone de destruction totale. Mais l'onde de choc de la déflagration l'avait atteinte.

Le bébé-fée était dans ses bras. Elle l'avait protégé de son corps. Il semble être indemne.

C'est pourquoi je crois qu'elle est retournée à la maison. Je ne sais pas si ce bébé-fée est celui qu'elle appelait « Ariel ». Ce pourrait être n'importe quel petit qu'elle a récupéré dans la brousse. Mais cela me paraît bien improbable. Un bébé sauvage l'aurait griffée et ses parents auraient réduit Pod en lambeaux.

A mon avis, elle avait dès le début l'intention de le sauver et elle a préféré ne pas m'en parler. C'est tout à fait en accord avec sa sensiblerie. Elle savait que je serais obligé de tuer l'adulte et elle n'a pas soulevé la moindre protestation. Quand il le fallait absolument, Poddy était sensée.

Et puis, au moment de notre évasion, elle a oublié dans sa surexcitation de prendre le bébé, exactement comme j'avais oublié, moi, de désarmer la bombe devenue inutile. Et elle est allée le rechercher.

Ce faisant, elle a perdu son traceur à inertie. En tout cas, il n'était ni sur elle ni à proximité.

Encombrée par le pistolet, son sac et le bébéfée, elle a dû le laisser tomber dans les marécages. Sûrement, parce qu'elle avait largement le temps de retourner à la maison et de se mettre en lieu sûr. Elle aurait dû être à plus de dix kilomètres de là. Donc, elle a perdu son traceur et a tourné en rond.

J'ai tout raconté à oncle Tom. J'étais prêt à faire le même récit aux gens de la Compagnie, à M. Cunha et aux autres, et à en subir les conséquences. Mais l'oncle m'a dit de me taire. Il a reconnu que j'avais tout bousillé, et salement! Mais il en avait fait autant, lui aussi. Et tout le monde. Il a été gentil avec moi. J'aurais préféré qu'il me flanque une volée.

J'ai du chagrin pour Poddy. De temps en temps, elle me faisait endêver avec son autoritarisme et son illogisme. Mais j'ai quand même du chagrin. Je regrette de ne pas savoir comment on fait pour pleurer.

Son petit magnétophone était encore dans son sac et une partie de la bande était audible. Mais il n'y a pas grand-chose à en tirer. Elle ne dit pas ce qu'elle a fait. Cela se borne à des sortes de balbutiements « ... très sombre là où je suis. Nul homme n'est une île. Nul homme ne se suffit à lui-même. Ne l'oublie pas, mon petit Clark. Je suis navrée d'avoir tout gâché, mais rappelle-toi cela, c'est important. Ils ont tous besoin qu'on les câline de temps en temps. Oh! Mon épaule... saint Podkayne! saint Podkayne, m'entendez-vous? Tonton Tom, maman, papa... est-ce que quelqu'un m'entend? Ecoutez-moi, je vous en prie, parce que c'est important. J'aime... »

246

Ça s'arrête là. On ne sait pas qui elle aimait. Tout le monde, peut-être.

Maintenant, je suis seul. M. Cunha a fait retarder l'appareillage du *Tricorne* jusqu'au moment où l'on saurait si Poddy mourrait ou si elle s'en tirerait. Et puis oncle Tom est parti, me laissant seul. Seul à l'exception des médecins, des infirmières, de Dexter Cunha qui passe son temps ici et de toute une armée de gardes. Je ne peux aller nulle part sans escorte. Plus question de mettre les pieds dans un casino. D'ailleurs, je n'en ai pas tellement envie.

J'ai entendu une partie de ce qu'oncle Tom a dit à papa. Pas tout parce qu'une conversation téléphonique avec des trous de vingt minutes entre les demandes et les réponses est quelque peu épisodique. Les répliques de papa ne me parvenaient pas et le dialogue se réduisait à un monologue d'oncle Tom :

— Ne dis pas d'idioties! Non, je ne cherche pas à me décharger de ma responsabilité, j'en porterai à jamais le fardeau. Et je n'attendrai pas ici que tu arrives, tu le sais et tu sais pourquoi. D'ailleurs, les enfants seront davantage en sécurité entre les mains de M. Cunha et loin de moi. Ça aussi, tu le sais! Mais j'ai un message pour toi et tu serais bien avisé de le transmettre à ta femme. Simplement ceci : les gens qui ne veulent pas prendre la peine d'élever des enfants feraient mieux de ne pas en avoir. Toi, le nez toujours fourré dans un livre, et ta femme toujours par monts et par vaux... c'est comme ça que vous avez failli tuer votre fille. Si elle n'est pas morte, vous n'y êtes pour rien. C'est un coup de chance. Tu devrais dire à ta femme, mon cher, que construire des ponts, des stations spatiales et autres gadgets du même genre, c'est très joli, mais qu'une femme a une tâche plus importante à accomplir. J'ai essayé de vous le faire comprendre il y a je ne sais combien d'années, et on m'a répondu de m'occuper de mes oignons. Maintenant, je le dis bien haut. Votre fille s'en sortira, mais ce ne sera pas votre faute. En ce qui concerne Clark, je ne me prononce pas. Pour lui, il est peut-être déjà trop tard. Dieu vous donnera peut-être une seconde chance si vous vous dépêchez. Terminé!

A ce moment, je me suis incrusté dans le mur et je ne me suis pas fait remarquer. Quel était le but d'oncle Tom? Essayait-il de faire peur à papa en l'inquiétant sur mon sort? Je n'ai eu aucun mal et il le sait fort bien. J'ai reçu une avalanche de boue, mais je n'ai même pas eu une brûlure alors que Poddy a encore l'air d'un cadavre. Elle a des tuyaux et des fils partout comme si elle était dans une couveuse. Non, je ne vois vraiment pas ce qu'il cherchait.

Je m'occupe du bébé-fée, parce que Poddy voudra le voir dès qu'elle aura suffisamment récupéré pour avoir conscience des choses. Elle a toujours été sentimentale. Il a tout le temps besoin qu'on soit après lui, parce qu'il se sent tout esseulé, et si on ne le berce pas, si on ne lui fait pas câlin, il crie.

Alors, je suis debout une bonne partie de la nuit. J'ai l'impression qu'il me prend pour sa mère. Mais ça m'est égal, je n'ai pas grand-chose d'autre à faire.

Il a l'air de m'aimer.

SCIENCE-FICTION et FANTASTIQUE

Dans cette série, Jacques Sadoul édite ou réédite les meilleurs auteurs du genre :

J'AI LU LEUR AVENTURE

L'AVENTURE MYSTÉRIEUSE

DOCUMENTS

L'AVENTURE AUJOURD'HUI

ÉDITIONS J'AI LU

31, rue de Tournon, 75006-Paris

Exclusivité de vente en librairie:
FLAMMARION

« Composition réalisée en ordinateur par INFORMATYPE SERVICE »

IMPRIMÉ EN FRANCE PAR BRODARD ET TAUPIN
6, place d'Alleray - Paris.
Usine de La Flèche, le 15-06-1974.
1861-5 - Dépôt légal 2ᵉ trimestre 1974.

U140